NOM▲DES
Les littératures du monde

DU MÊME AUTEUR

Mon cheval pour un royaume, Éditions du Jour, 1967 ; Leméac, 1987.

Jimmy, Éditions du Jour, 1969 ; Leméac, 1978 ; Babel, 1999 ; Nomades, 2016.

Le cœur de la baleine bleue, Éditions du Jour, 1970 ; Bibliothèque québécoise, 1987.

Faites de beaux rêves, L'Actuelle, 1974 ; Bibliothèque québécoise, 1988.

Les grandes marées, Leméac, 1978 ; Babel, 1995 ; Nomades, 2015.

Volkswagen blues, Québec-Amérique, 1984 ; Babel, 1998 ; Nomades, 2015.

Le vieux Chagrin, Leméac / Actes Sud, 1989 ; Babel, 1995 ; Nomades, 2016.

La tournée d'automne, Leméac, 1993 ; Babel, 1996 ; Nomades, 2016.

Chat sauvage, Leméac / Actes Sud, 1998 ; Babel, 2000 ; Nomades, 2016.

Les yeux bleus de Mistassini, Leméac / Actes Sud, 2002 ; Babel, 2011 ; Nomades, 2015.

La traduction est une histoire d'amour, Leméac / Actes Sud, 2006.

L'anglais n'est pas une langue magique, Leméac / Actes Sud, 2009.

L'homme de la Saskatchewan, Leméac / Actes Sud, 2011.

Un jukebox dans la tête, Leméac, 2015.

LA TRADUCTION EST
UNE HISTOIRE D'AMOUR

suivi de

L'ANGLAIS N'EST PAS
UNE LANGUE MAGIQUE

Leméac Éditeur remercie le Conseil des arts du Canada, le gouvernement du Canada, la Société de développement des entreprises culturelles du Québec (SODEC) et le Programme de crédit d'impôt pour l'édition de livres du Québec (Gestion SODEC) du soutien accordé à son programme de publication.

Canadä

ISBN 978-2-7609-3666-9

La traduction est une histoire d'amour, © Leméac/Actes Sud, 2006 ; © Leméac 2019, pour la présente édition.

L'anglais n'est pas une langue magique, © Leméac/Actes Sud, 2009 ; © Leméac 2019, pour la présente édition.

Imprimé au Canada

Jacques Poulin

La traduction est une histoire d'amour

suivi de

L'anglais n'est pas une langue magique

NOM▲DES

LA TRADUCTION EST
UNE HISTOIRE D'AMOUR

Cette histoire, pourtant assez courte, n'est pas venue sans mal : heureusement que Pierre Filion regardait par-dessus mon épaule.

J. P.

En définitive dans cette affaire, il s'agit bien de couple et nous parlons d'amour. Oui nous parlons de traduction dont la définition est, d'abord, d'être un transport. Transport de langue ou transport amoureux.

ALBERT BENSOUSSAN
Traduction et création.

1

UNE CHATTE OBÈSE

Nue comme une truite, je sortais de l'étang avec une poignée d'algues dans chaque main, lorsque tout à coup je vis ma chatte se ruer tête baissée vers une petite chose noire qui descendait la côte menant au chalet.

Quand elle surveillait son territoire, la vieille Chaloupe faisait semblant de dormir sur la table à pique-nique qui est à mi-chemin entre le chalet et l'étang. Un intrus venait de paraître au milieu de la côte, alors elle fonçait sur lui ventre à terre. Je suis traductrice, j'aime les mots, et si je dis *ventre à terre*, ce n'est pas une figure de style : son ventre traînait vraiment à terre.

L'intrus était un jeune chat efflanqué, aussi noir que le poêle. En voyant la grosse chatte se précipiter vers lui, il bondit hors de la route, traversa la pelouse comme une flèche et disparut dans les buissons qui bordent mon terrain. Chaloupe renonça à le suivre et regagna son poste d'observation en trottinant. Son ventre se balançait à chaque pas : de là venait son nom.

Monsieur Waterman sortit du chalet. Il s'était réveillé plus tôt que prévu. Je remis mon bikini et un t-shirt par-dessus, mais sans me dépêcher. Pour me dire qu'il avait assisté à la poursuite, il mima avec ses hanches le mouvement ondulatoire de la chatte obèse et m'adressa une grimace comique. En général, les hommes ne m'inspiraient pas confiance, mais je faisais une exception pour lui. C'était mon meilleur ami, même s'il avait deux fois mon âge et qu'on ne se connaissait pas depuis longtemps. Il était écrivain et travaillait à un nouveau roman.

De mon côté, j'avais entrepris de traduire un de ses livres, celui qui parlait de la Piste de l'Oregon. S'il existait un moyen de rejoindre quelqu'un dans la vie – ce dont je n'étais pas certaine –, la traduction allait peut-être me permettre d'y arriver.

Ce jour-là étant un samedi, nous avions congé l'un et l'autre. Il avait quitté la Tour du Faubourg, à Québec, pour passer la fin de semaine avec moi au chalet. Le mois de mai commençait à peine, l'eau de l'étang était glacée. À l'île d'Orléans, il fait toujours plus froid qu'en ville. J'étais heureuse de voir sortir les feuilles et s'allonger les jours, car l'hiver avait été rude. À plusieurs reprises, la poudrerie avait bouché le chemin de terre, me forçant à me déplacer en motoneige.

2

LA VOIX ENREGISTRÉE

Avant de monter dans son 4×4 Toyota bleu, qu'il appelait *Le Coyote*, monsieur Waterman cria mon nom :

— Marine ?

— Oui !

— Je vais acheter les journaux !

C'était le début de l'après-midi. L'écrivain avait fait la sieste et, pendant ce temps, j'avais recommencé à enlever les algues de l'étang. En bikini, cette fois.

Je m'appelle Marine. C'est la version adoucie de *Maureen*, le nom de ma mère, une Irlandaise. J'ai hérité de sa crinière rousse, de ses yeux verts, de ses sautes d'humeur. Vous souvenez-vous des colères de Maureen O'Hara dans *Un homme tranquille*, le film de John Ford ? Eh bien, c'était le portrait tout craché de ma mère.

Le Coyote disparut en haut du chemin de terre. Le soleil, qui arrivait de ce côté, dépassait maintenant la cime des arbres et réchauffait le chalet, l'étang en contrebas et, au bout du terrain, la parcelle verdoyante que j'appelais la « Croisée des murmures ».

L'étang, de forme ovale, faisait environ vingt-cinq mètres sur quinze. Un quai en bois sur pilotis (pour monsieur Waterman, c'était plutôt une jetée) avait été construit à l'extrémité la plus proche du chalet. Partout sur la rive, il y avait des arbustes, des quenouilles et des fleurs sauvages. Je suis moi-même un peu sauvage, si vous voulez le savoir. Je fais toujours ce qui me plaît. Les seules règles que j'accepte sont celles de la grammaire. Je suis à l'aise dans l'eau, je nage comme un poisson, je me faufile entre les algues qui restent.

Les maudites algues, je n'en finis pas de les arracher. Elles prolifèrent, se multiplient presque à vue d'œil. En plus de rendre l'eau trouble et même visqueuse, elles constituent une menace pour tout ce qui vit dans l'étang et aux alentours : truites, grenouilles, ouaouarons, libellules, martins-pêcheurs, hérons et ratons laveurs.

Ce jour-là, je consacrai une heure à cette tâche qui, de surcroît, me donnait l'obscur sentiment de faire du ménage dans ma vie amoureuse – je suis une grande psychologue. Pendant ce temps, monsieur Waterman revint avec les journaux. Il sortit sa chaise longue (une Lafuma orange et verte) et s'installa comme d'habitude au bord de l'étang. Je le vis ouvrir *Le Devoir* et s'absorber dans la lecture du cahier littéraire, laissant choir le reste du journal dans l'herbe. Il lisait toutes les critiques de livres. Je l'entendais maugréer contre l'emploi des expressions *d'entrée de jeu, au niveau de* et surtout *incontournable,* mais il lisait quand même les articles jusqu'à la fin.

Pour l'épater, je pris ma course sur la jetée et piquai une tête dans l'eau, profonde de deux mètres à cet endroit. Les ouaouarons, affolés, se cachaient sous les pierres, et les truites se coulaient avec élégance entre les algues. Retenant mon souffle, je nageai sans faire surface jusqu'à l'autre bout. S'il y avait eu des joncs à l'extrémité de l'étang, j'en aurais choisi un et je m'en serais servie pour respirer sous l'eau, comme Robert Mitchum dans le film d'aventures que j'ai vu quand j'étais petite. Monsieur Waterman se serait inquiété de mon sort : il aurait pensé que j'étais en train de me noyer.

Pas de joncs en vue, ni aucune plante à tige creuse, alors j'émergeai de l'étang, le visage cramoisi, probablement, et je pris une bonne gorgée d'air. Il ne me regardait même pas ! Le cahier littéraire était plus intéressant que les exploits d'une nageuse olympique ! Je grimpai sur la rive, non sans glisser sur le fond argileux. Et là, tandis que je me faisais sécher au soleil, un miaulement plaintif attira mon attention.

Le faible cri venait de la rangée d'arbustes qui marquait la limite du terrain. Dès que je m'approchai, le jeune chat noir sortit d'un buisson de framboisiers. Il était maigre, il avait l'oreille gauche déchirée et jetait des regards apeurés autour de lui. En tournant la tête, j'aperçus Chaloupe à son poste sur la table à pique-nique ; elle avait l'air de dormir pour vrai. Je me mis à genoux dans l'herbe folle et le petit chat s'avança vers moi, la queue en point d'interrogation. Il portait un collier en cuir bleu foncé autour du cou, je m'en rendis compte en le prenant dans mes bras pour aller le montrer à monsieur Waterman.

— Regardez ce que j'ai trouvé, dis-je.

— Tiens, il a un collier, observa-t-il en lui caressant la tête. Ça veut dire qu'il appartient à quelqu'un.

— Bien sûr.

— As-tu vu le numéro de téléphone ?

— Où ça ?...

Trop heureuse de retrouver le chat, je n'avais pas fait attention à la plaque de laiton agrafée au collier. J'avais honte de moi. Il est vrai qu'elle ne mesurait qu'un centimètre et demi.

Le numéro était gravé sur la plaque.

— Je vais téléphoner, dis-je avec empressement.

Chaloupe dormait toujours sur la table à pique-nique, mais tout le monde sait que les chats ne dorment que d'un œil. Je fis un détour et entrai dans le chalet par la porte arrière.

Le téléphone était dans la cuisine. Sitôt posé à terre, le chat se dirigea vers les plats de la vieille Chaloupe. Je lui donnai une grosse poignée de croquettes et un bol d'eau fraîche, puis je composai le numéro inscrit sur le collier. Au bout du fil, j'entendis sonner trois coups, et le coup suivant fut interrompu par une voix féminine. Une voix enregistrée qui semblait très jeune. Elle disait : « Je ne suis pas là. Laissez un message et je vous rappellerai peut-être. »

Le mot *peut-être* me fit un drôle d'effet, surtout que la voix ressemblait à celle de ma sœur disparue. Je raccrochai bêtement sans rien dire.

3

LES FEUILLES MORTES

On s'est connus dans un cimetière, monsieur Waterman et moi. Certains pourraient y voir un mauvais présage, mais je n'en crois rien : ma mère est enterrée là. Ma grand-mère aussi.

C'était l'automne et j'arrivais de voyage.

Après mon bac en traduction, j'ai voyagé aux États-Unis sur le pouce – l'écrivain dirait *en stop*. Je voulais me mettre du plomb dans la tête. Le hasard des rencontres m'a menée le long de la côte atlantique jusqu'à Key West. Ensuite je suis remontée à La Nouvelle-Orléans et, de là, j'ai gagné San Diego en longeant la frontière du Mexique. La Californie était ce que j'avais vu de plus beau dans ma vie, alors j'ai flâné, travaillé un peu à la cueillette des fruits, et puis, très lentement, par la route du bord de mer, je me suis rendue à San Francisco.

Sur un tableau d'affichage, à la librairie City Lights, j'ai trouvé une offre de colocation et je suis restée plusieurs mois dans cette ville, où l'esprit de liberté et de tolérance me convenaient. J'aurais pu reprendre à mon compte les propos d'une féministe américaine qui avait écrit : « Je sens les contours de la baie dans mon cœur. » Quand on est très heureux ou très malheureux, on devient hypersensible à ce qui se passe autour de nous, aux gens et même à l'atmosphère des lieux.

J'étais très heureuse, presque sur un nuage, au moment où je suis partie de San Francisco dans un camping-car avec un couple de retraités qui retournaient au Québec. Nous avons traversé les États-Unis en diagonale. Dans le Nebraska, à Scottsbluff, si je me souviens bien, nous avons découvert un musée entièrement voué à la conquête de l'Ouest. En sortant de ce musée, il s'est produit un incident que je n'oublierai pas de sitôt.

Juste à côté du bâtiment principal, et sans aucune clôture pour les protéger, s'étendaient de profondes ornières creusées dans le sol par les roues des chariots bâchés qui, un siècle et demi plus tôt, avaient emmené les émigrants vers les terres promises de l'Oregon. J'ai fait quelques pas toute seule dans ces ornières. Des milliers de gens étaient passés par là, le cœur gonflé d'espoir, et mon cœur à moi s'est mis à battre plus fort, du seul fait que je marchais dans leurs traces. J'étais si émue qu'il m'a semblé entendre une rumeur confuse dans mon dos ; j'ai cru un instant qu'une caravane de chariots tirés par des bœufs s'en venait derrière moi.

À mon retour de San Francisco, je n'ai trouvé aucun travail intéressant. J'ai alors demandé et obtenu une bourse me permettant d'entrer à l'École de traduction et d'interprétation de l'Université de Genève. Une fois rendue là-bas, j'ai profité de mes temps libres pour visiter les pays voisins.

Un jour que je passais par Arles, dans la vallée du Rhône, et que j'avais posé mon sac à dos sur un quai, étant aux prises avec une vague de mélancolie, j'ai été abordée très poliment par un petit moustachu qui avait d'épais cheveux gris et fumait la pipe. Après avoir partagé avec moi son sandwich jambon-beurre et son café, il m'a invitée à boire un cognac au bar voisin. C'est difficile à croire, mais le bar faisait partie d'une librairie qui, elle-même, faisait partie d'une maison d'édition. Quand il a reconnu mon accent, le moustachu m'a dit que la maison venait de publier en coédition un romancier québécois dont le nom de plume était Jack Waterman. Ce n'était pas un de mes auteurs préférés. Le moustachu m'a tout de même donné un exemplaire du roman et j'ai lu, à l'endos, qu'il était question de la Piste de l'Oregon. C'est à ce moment précis que l'idée m'est venue de traduire monsieur Waterman en anglais.

Je me trouvais donc dans un cimetière, celui de l'ancienne église St. Matthew, à Québec. C'était le premier endroit que je visitais depuis mon retour. J'aimais beaucoup le muret de pierres et les grands chênes qui étendaient leurs branches jusqu'au milieu de la rue Saint-Jean.

Ma mère et ma grand-mère reposaient derrière l'église, dans le coin le plus retiré. J'avais enlevé mon sac à dos et, appuyée au mur, j'étais assise dans l'herbe jonchée de feuilles mortes.

Ma grand-mère était une orpheline. Elle avait quitté l'Irlande pour le Canada avec ses grands-parents à elle, mais ils avaient attrapé le typhus sur le bateau et on les avait ensevelis à la Grosse-Île. Plus tard, elle était morte en donnant naissance à ma mère et, par la suite, ma mère avait succombé à un cancer.

À présent, c'est moi qui suis orpheline.

Juste à mes pieds, dans le coin où j'étais assise, il y avait une dalle funèbre couchée dans l'herbe, avec le nom de ma grand-mère, les deux dates de son existence et les trois lettres qui disent qu'elle dort en paix. Je suis la seule à savoir que ma mère repose à ses côtés. Une nuit, j'ai apporté l'urne funéraire, j'ai creusé avec une truelle – le vrai nom, c'est *transplantoir* – et j'ai versé les cendres dans le trou ; il ne fallait pas qu'on me voie, le cimetière était abandonné depuis longtemps.

Les genoux sous le menton, le dos contre le muret, je pensais à tout ça, ainsi qu'à ma petite sœur, et soudain je me suis rappelé que ma mère aimait beaucoup le bruissement des feuilles mortes. Pour lui faire plaisir, je me suis levée et j'ai marché autour de la pierre tombale en traînant les pieds dans les feuilles de chêne. C'est ce que j'étais en train de faire quand un homme d'un certain âge est arrivé avec une pile de livres. Il s'est assis sur un banc public à dix pas de moi, les livres sur ses genoux.

En m'apercevant, il m'a fait un signe de tête, puis il a souri mais fugitivement, comme font les vieux qui vivent repliés sur eux-mêmes ou qui craignent d'être mal jugés. Je lui ai rendu son sourire et il s'est mis à feuilleter le premier livre qui était sur la pile. Son visage creusé, sa barbe grisonnante et mal taillée, ses fines lunettes qui ne cachaient pas les poches sous ses yeux, sa maigreur extrême, son air mélancolique, tout ça me donnait une impression de déjà vu.

Songeuse, je suis retournée m'asseoir au pied du mur. Brusquement, il s'est dirigé vers moi, serrant les livres sur sa poitrine, et il a marmonné :

— C'est rare qu'on voie quelqu'un dans ce petit coin du cimetière...

Comme je ne répondais pas, il a fait mine de s'éloigner. Puis il s'est ravisé :

— Je viens souvent me reposer ici en sortant de la bibliothèque.

— Quelle bibliothèque ? demandai-je.

Il a pointé le doigt vers l'église St. Matthew.

— Vous ne savez pas que l'église a été convertie en bibliothèque ?

— Mais non ! dis-je en souriant.

— J'ai dit quelque chose de drôle ?

— C'est le verbe *convertir*... Je trouve qu'il convient parfaitement !

— Tiens, je n'y avais pas pensé !... Alors, vous arrivez de voyage ?

— Oui. Je suis venue voir ma parenté.

D'un geste aussi naturel que possible, car je ne voulais pas trop l'impressionner, j'ai montré du doigt la dalle de pierre qui se trouvait entre nous. Il s'est tourné vers la tombe sans dire un mot et, ployant le buste, il a effectué une profonde révérence tout en gardant les livres serrés contre lui. Après quoi, il est venu s'asseoir à côté de moi et a posé ses volumes entre nous deux.

Le livre qui était sur le dessus de la pile s'intitulait *Hemingway, nouvelles complètes.* C'est en voyant ce recueil que la lumière s'est faite dans mon esprit : l'homme assis à mes côtés, le dos au mur, était Jack Waterman, l'auteur que je voulais traduire en anglais – celui qui avait écrit un roman sur la Piste de l'Oregon ! Je me souvenais avoir lu un article dans lequel on disait qu'il avait une sorte de vénération pour Hemingway.

Trop souvent, dans ma courte vie, quelque chose m'a poussée à faire exactement le contraire de ce qui convenait. C'est ce qui s'est produit encore une fois. Alors qu'il fallait dire : « Ah ! Vous êtes monsieur Waterman !... Je m'appelle Marine, je suis traductrice », j'ai stupidement feint de ne pas le reconnaître. J'ignore pourquoi je commets toujours ce genre de bêtises. Ravalant ma honte, j'ai examiné les livres qu'il venait de poser dans l'herbe à côté de moi. Outre les nouvelles d'Hemingway, il y avait *Le poney rouge* de Steinbeck, une biographie de John Fante et *La grammaire est une chanson douce* d'Érik Orsenna.

— Êtes-vous une *liseuse* ? demanda-t-il.

— Bien sûr, dis-je.

— Qu'est-ce que vous lisez en ce moment ?

— Des recueils de correspondances. Je lis les lettres de Kafka à Milena, les lettres de Tchekhov à Olga, celles de Rilke à Lou Andreas-Salomé...

— Pourquoi ?

— J'en sais rien.

— Vous ne lisez pas de romans, de récits, de nouvelles ?

— J'aime bien les romans de Modiano... Vous allez me demander pourquoi ?

— Oui.

— Ses livres ressemblent à la vie. Ils contiennent des souvenirs imprécis, des photos jaunies, des sentiments vagues, des chansons d'autrefois, des rencontres de hasard, des conversations dans les cafés... Et le lecteur doit reconstruire tout ça, comme s'il s'agissait d'un casse-tête.

— Ça veut dire que la vie vous apparaît comme une histoire en pièces détachées ?

J'ai fait signe que oui, même si en réalité je n'avais pas réfléchi à la question. Monsieur Waterman est resté silencieux un long moment. Quant à moi, j'ai soufflé doucement sur une fourmi qui traversait en diagonale le visage d'Hemingway qu'on voyait en page couverture du gros livre de nouvelles ; l'insecte a rebroussé chemin et j'ai posé le livre dans l'herbe pour l'aider à descendre de là.

Waterman m'a regardée plus attentivement.

— Êtes-vous d'origine écossaise comme la plupart des gens qui sont enterrés ici ?

— Non, je suis Irlandaise.

J'ai dit ça avec une fierté qui ne m'était pas coutumière.

— Excusez-moi, dit-il. J'aurais dû m'en douter.

Il souriait et son regard malicieux détaillait ma tignasse rousse, mes taches de rousseur et mes yeux verts. J'ai pensé à ma sœur qui avait le même air que moi.

— Qu'est-ce que vous faites dans la vie quand vous n'êtes pas en voyage, si ce n'est pas indiscret?

— Je suis traductrice.

Voilà, c'était dit. J'aurais pu ajouter que l'idée de traduire ses romans en anglais m'intéressait beaucoup, mais je ne l'ai pas fait: ça me paraissait indécent. Il était plus convenable d'attendre une invitation.

J'ai attendu en vain, du moins ce jour-là. Au lieu d'une invitation, c'est à une citation que j'ai eu droit, celle de Jorge Luis Borges. Celle que tous les traducteurs connaissent et se remémorent, la nuit, lorsqu'ils ne peuvent dormir, tourmentés par le sentiment injustifié de mener une existence de parasite. La citation était la suivante, et je n'ai pas osé dire que je la connaissais: «Le métier de traducteur, disait Borges, est peut-être plus subtil, plus civilisé que celui d'écrivain. [...] La traduction est une étape plus avancée.»

Ensuite, monsieur Waterman a regardé sa montre. Il a repris ses livres et s'est relevé en s'appuyant d'une main au mur de pierres. Après avoir fait un salut de la tête qui s'adressait, je crois, autant à ma parenté qu'à moi, il a quitté le cimetière. Vu de dos, les épaules voûtées, il avait l'air très frêle. Les feuilles mortes craquaient à peine sous ses pas.

4

LA MEILLEURE TRADUCTRICE
DU QUÉBEC

Après ma visite au cimetière, je me suis mise en quête d'un logement. Il me restait peu d'argent, et mes rares amis étaient éparpillés aux quatre coins du monde. Alors, j'ai pris une chambre à l'hôtellerie la moins chère : l'Auberge de jeunesse, au 19 Sainte-Ursule.

Puisqu'il fallait que je gagne ma vie, j'ai offert mes services à plusieurs organismes comme traductrice à la pige. En attendant les réponses, j'ai entrepris de mettre en anglais le livre de Waterman que j'avais reçu de l'éditeur arlésien : en plus de vérifier mes capacités, je voulais voir si nous avions des goûts en commun.

Ma chambre étant petite et envahie par le bruit des voisins, j'ai pris l'habitude de travailler dans les bibliothèques publiques. La plus proche était celle de l'Institut Canadien, dont l'entrée se trouvait rue Sainte-Angèle. Juste à côté, il y avait également la bibliothèque du Morrin College, paisible et très émouvante avec ses boiseries couleur de miel, l'odeur des vieux livres, l'escalier en colimaçon, la longue mezzanine en bois verni, le bureau ayant appartenu à sir George-Étienne Cartier. L'immeuble était une ancienne prison et, lorsque le nordet faisait gémir les murs, je croyais entendre les détenus qui avaient croupi dans les cellules du sous-sol.

Mais c'était à là bibliothèque de St. Matthew, près du cimetière, que je passais le plus clair de mon temps. Aussi bien l'avouer, j'espérais revoir monsieur Waterman et, mine de rien, obtenir son avis sur ma traduction. J'avais tout combiné dans ma tête : il entrait dans la bibliothèque, je faisais semblant de ne pas le voir, il s'approchait et lisait mon texte par-dessus mon épaule ; très impressionné, il m'invitait chez lui et téléphonait tout de suite à son éditeur.

Assise à la grande table du fond, tournant le dos à la nef de l'église, je n'avais qu'à lever la tête pour voir les nouveaux arrivants. Mon gros *Webster* formait un rempart derrière lequel je dissimulais le lunch que j'apportais toujours en cas de fringale.

Un matin vers onze heures, l'écrivain fait son entrée. Je remets dans mon sac la pomme que je viens de croquer et je me dépêche de cacher son roman sous mon cahier de brouillon. Ouvrant un dictionnaire, je m'absorbe dans une recherche aussi professionnelle que possible. Je suis la meilleure traductrice du Québec, les éditeurs de Londres, de New York et de Toronto s'arrachent mes services, et ce n'est pas le premier venu qui va me distraire de mon travail.

Quand une main se pose sur mon épaule, je sursaute comme il se doit. Monsieur Waterman s'excuse à voix basse de m'avoir fait peur. Je réponds que ce n'est rien du tout, puis il demande si j'habite dans les environs.

— À l'Auberge de jeunesse, mais c'est temporaire, je cherche un autre logement.

— Quel genre ?

— Un coin tranquille avec des arbres, des oiseaux. Et peut-être un chat.

— Je peux m'asseoir un instant ?

— Bien sûr.

Il prend place sur une chaise en face de moi.

— Je vais réfléchir à votre problème de logement.

— Merci.

— Ici, c'est un bon endroit pour travailler, n'est-ce pas ?

Il lève la tête et contemple, sur notre gauche, les fenêtres en ogive où la lumière du soleil incendie les vitraux. Je commence à m'énerver à cause du roman dissimulé sous mon cahier de brouillon. Il demande :

— Qu'est-ce que vous traduisez ?

Les mots se bloquent dans ma gorge. Incapable de répondre, je n'ai pas d'autre choix que de déplacer mon cahier pour qu'il voie son livre. Sa réaction m'étonne : il demeure d'un calme absolu. Il fait comme si tout était normal. Comme si j'étais une vraie pro et que j'avais signé un contrat en bonne et due forme avec son éditeur de Toronto. Je suis séduite, si vous voulez le savoir, mais il n'est pas question de le montrer.

Feignant l'indifférence, je lui tends mon texte. Il lit très lentement une dizaine de pages. À certains moments, il cesse de lire et revient en arrière. Le temps s'arrête. Les visiteurs de la bibliothèque se déplacent comme dans un film au ralenti. Enfin, il me redonne le cahier.

— Bravo ! La petite musique est là.

Dans ses yeux, une lueur me fait comprendre qu'il pense vraiment ce qu'il dit. Et il propose :

— Racontez-moi comment vous faites...

— Hum ! Je choisis des mots simples et concrets... J'essaie de faire des phrases courtes et j'évite les inversions autant que possible. Je ne mets pas un mot très bref à côté d'un mot de plusieurs syllabes... Si un mot finit par une consonne, je lui trouve un compagnon qui commence par une voyelle. Et je lis mon texte à voix haute pour entendre comment ça sonne. Mais le problème...

— Je sais, dit-il. Le mot juste, en anglais, n'est pas toujours celui qui s'harmonise le mieux avec ses voisins.

— Voilà ! Et alors la musique n'est plus la même.

— C'est pas grave. L'essentiel, c'est qu'elle reste dans le même ton. Au fait, comment vous appelez-vous ?

— Je m'appelle Marine.

— Chère Marine, le ton, c'est ce qui compte le plus en littérature. Et personne n'en parle jamais. C'est presque aussi important que les yeux verts et les taches de rousseur !

Il me salue de la tête, se lève à moitié puis se rassoit.

— Ah ! Je connais quelqu'un qui pourrait vous louer un chalet à l'île d'Orléans. C'est un coin assez sauvage, sans confort, mais habitable à l'année. Le chalet est caché dans une petite forêt, au bout d'un chemin de terre. Il y a un étang plein de truites et de ouaouarons, et les voisins ne sont pas tout près.

— Si c'est un endroit isolé, il faut une auto...

— Oui. Mais je connais quelqu'un qui a une vieille Jeep.

— J'ai pas d'argent.

— Ça ne fait rien, je connais quelqu'un qui en a.

Monsieur Waterman souriait, il avait réponse à tout. J'ai commencé à croire que c'était mon jour de chance. Connaissez-vous le proverbe qui dit : *En cas de doute, abstiens-toi*? Il existe une version irlandaise, dont je suis l'auteure, et qui dit : *En cas de doute, fonce tête baissée!*

Finies les interrogations, j'ai déclaré à monsieur Waterman que j'acceptais. À condition que je paie mon loyer et que je le rembourse de toutes ses dépenses. Je voulais garder mon indépendance.

5

LA PETITE FILLE DU BOUT
DE LA ROUTE

Depuis que le chat noir était là, j'avais des distractions, je travaillais moins bien. Par la fenêtre du solarium, j'assistais aux efforts que la vieille Chaloupe faisait, plusieurs fois par jour, pour expulser le nouveau venu de son territoire. Le petit chat finissait par grimper dans un érable, derrière le chalet, et se réfugiait à l'intérieur d'une grosse cabane d'oiseaux dont l'entrée avait été agrandie par les écureuils. Étant dégriffée, ma chatte ne pouvait le rejoindre.

Il y avait aussi l'affaire du collier qui me trottait dans la tête. Une fois remise de l'étonnement causé par le mot *peut-être*, j'avais rappelé au numéro inscrit sur la plaque de laiton ; j'avais laissé mon nom, mon téléphone et une courte phrase disant que le chat se trouvait chez moi et allait bien. À cette occasion, il ne m'avait pas échappé que les trois premiers chiffres de ce numéro ne correspondaient pas au secteur de l'île d'Orléans, mais plutôt à celui du quartier où habitait monsieur Waterman : le faubourg Saint-Jean-Baptiste.

Normalement, je travaille tous les jours de la semaine. Ce matin-là, toutefois, je n'arrêtais pas de me demander pourquoi j'avais trouvé le chat noir à l'île, alors que sa jeune propriétaire demeurait dans un quartier attenant au Vieux-Québec. L'hypothèse la plus vraisemblable, à mon avis, c'était qu'on l'avait emmené en auto, puis abandonné non loin de chez moi. Et dans ce cas, quelqu'un avait peut-être assisté à la scène.

J'eus bientôt l'occasion de vérifier cette hypothèse. Peu avant midi, je montai la côte à pied pour voir si j'avais du courrier. Les boîtes aux lettres se trouvaient à l'autre bout du chemin de terre, je veux dire à l'endroit où le chemin débouchait sur la route qui faisait le tour de l'île. Elles étaient alignées contre le mur d'une maison abritant le propriétaire du chalet et quelques locataires que je rencontrais parfois en allant faire mes courses au village de Saint-Pierre.

Ma boîte était la dernière de la rangée. Quand je l'ouvris, je fis autant de bruit que possible avec mon trousseau de clés, tout en surveillant du coin de l'œil une fenêtre du rez-de-chaussée, entrouverte comme d'habitude, d'où provenaient souvent des airs de musique et des odeurs de cuisine.

Apercevant une ombre à la fenêtre, j'annonçai à voix haute que j'avais une question à poser. La fenêtre s'ouvrit toute grande et je vis paraître dans l'encadrement la tête d'une fillette aux cheveux nattés en deux tresses qui se tenaient presque à l'horizontale.

— Quelle question ? fit-elle.

— Est-ce que je te dérange ? Tu étais occupée ? demandai-je par politesse.

— Oui, j'étais occupée à te regarder. C'est ça, la question ?

— Non. Tu regardes souvent dehors ?

— Très souvent. C'est à cause de mon pépé.

— Comment ça ?

— Il est en chaise roulante. Je monte sur un escargot et je lui raconte tout ce que je vois par la fenêtre. Comprends-tu ?

— Je comprends. Mais tu veux dire un *escabeau* ?

— C'est pareil !

— Maintenant, est-ce que je peux te poser la vraie question ?

Elle fit signe que oui et appuya son menton sur ses mains jointes, ce qui était apparemment l'indice d'un gros effort de concentration.

— Tu aimes les chats ?

— Évidemment ! fit-elle en haussant une épaule.

— Est-ce que, par hasard, tu n'aurais pas vu un nouveau chat dans les environs ?

— Oui, un petit chat noir. Il est arrivé en taxi.

— En taxi ?... C'était quel jour ?

Les yeux arrondis, la bouche pincée, elle se mit à compter sur ses doigts. Puis, après avoir tourné la tête vers le grand-père :

— Ça fait trois jours, déclara-t-elle. Trois ou quatre jours.

— Comment ça s'est passé ?

— Ça s'est passé *be-ding ! be-dang !*

Elle éclata d'un rire clair et haut perché. Je compris que cette expression lui avait été soufflée par le vieil homme. Elle reprit son sérieux et expliqua :

32

— Quand j'ai regardé dehors, la porte du taxi était ouverte et la cage était par terre.

— Quelle cage ?

— La cage du chat ! Elle était à terre au milieu du chemin, alors la femme a ouvert la porte.

— La porte du taxi ?

— Mais non, la porte du taxi était déjà ouverte, je l'ai dit tantôt !

— Excuse-moi. La femme a ouvert la porte de la cage...

— Oui.

— Et le chat est sorti.

— Non. C'est le taxi qui est sorti.

J'entendis le grand-père qui rigolait dans l'appartement : il avait soufflé la réponse encore une fois.

— Il est sorti de l'auto pour aider la femme, raconta la fillette. Ils se sont mis à deux, ils ont secoué la cage et le chat est sorti. Il était noir. Je veux dire, noir partout. Il y a des chats noirs avec une patte blanche ou le bout de la queue, ou encore une tache de lait sur le nez, mais lui, non : il était aussi noir que la nuit quand on ferme la lumière pour dormir.

— As-tu vu dans quelle direction il est allé ?

— Il ne savait pas où aller. Il était perdu comme moi un jour que j'étais à l'Exposition provinciale avec ma mère : c'était plein de monde, on se marchait sur les pieds et, d'un coup sec, ma mère était partie. J'ai regardé partout et elle était pas là !

— Oh ! Qu'est-ce que tu as fait ?

— J'ai pleuré, mais c'était pour que la femme s'occupe de moi.

— Quelle femme ?

— Celle qui mangeait un cornet à la vanille ! Elle m'en a acheté un, ensuite elle m'a emmenée à la place où ils parlent dans les haut-parleurs et ils ont dit que j'étais perdue. Quand ma mère est arrivée, j'étais rendue au deuxième cornet. Elle était énervée et blême comme...

Se tournant vers le grand-père, elle attendit qu'il lui souffle les mots qui manquaient.

— Comme une fesse de sœur, reprit-elle.

— Je vois, dis-je. Bon, tu disais que le petit chat était perdu...

— Oui, et il avait peur du chien.

— Quel chien ?

— Le chien du voisin ! Il arrêtait pas de japper ! Mais la femme est repartie quand même avec le taxi.

— Elle avait l'air de quoi, cette femme ?

— Une face toute plissée avec des dents pourries. Une vraie sorcière ! Elle me faisait peur, j'étais contente qu'elle s'en aille. Je suis sortie à toute vitesse pour flatter le petit chat, mais pépé voulait pas qu'on le garde. Il a dit que les chats noirs, ça porte malheur : le plus qu'on pouvait faire, c'était de lui mettre un peu de nourriture dehors, à côté de notre porte de cave.

— Et c'est ce que tu as fait ?

— Oui, mais c'est le gros chien du voisin qui a mangé les restes du poulet barbecue. Tu les aimes, les chiens, toi ?

— Pas beaucoup.

La fillette se pencha hors de la fenêtre et, baissant la voix :

— J'ai rêvé que le chat noir se faisait manger par le gros chien, dit-elle. J'aurais dû l'adopter quand même. J'aurais dû le cacher dans notre garage.

— Veux-tu que je te dise un secret ?

— O.K.

— Il est rendu au chalet, le petit chat. Tu viendras le voir quand tu voudras.

J'eus droit à un sourire et à un clin d'œil, puis la tête disparut avec ses drôles de tresses, et la fenêtre fut remise en position entrouverte, comme au début.

6

LE MESSAGE

Le récit de la fillette confirmait mon hypothèse, le petit chat avait bien été emmené en voiture. Mais, à présent, un nouveau problème me tourmentait : quel était le rapport entre cette vieille femme et la jeune fille dont j'avais entendu la voix sur le répondeur ?

Chaque jour, dès que j'abandonnais mon travail, cette question commençait à tourner dans ma tête. Je savais bien que la réponse allait venir d'elle-même, un jour ou l'autre. En attendant, pour me détendre, j'allais marcher dehors.

Ce n'était pas l'espace qui manquait autour du chalet. Si j'en avais envie, je montais la côte abrupte comme je l'avais fait pour discuter avec la fillette. Je pouvais aussi faire le contraire : contourner l'étang et descendre en bas du terrain, jusqu'à l'endroit très paisible qui s'appelait la Croisée des murmures parce que deux petits ruisseaux s'y rejoignaient. De là, il m'était possible d'emprunter un sentier raviné qui me conduisait au niveau du fleuve, où s'étendaient des champs cultivés et un parc à chevaux.

Il m'arrivait de marcher à la lisière des champs d'avoine jusqu'à ce que je fusse exténuée. Mon tempérament me portait à des excès et, pour cette raison, monsieur Waterman, oubliant qu'il marchait presque autant que moi dans son appartement, me surnommait *Ultramarine*.

Un soir après le souper, en revenant d'une de ces longues promenades, je fis entrer le chat noir par la porte arrière du chalet, et je lui donnai des croquettes avec des morceaux de jambon cuit et du lait écrémé. Il mangea tout avec appétit et, comme il ronronnait, je le pris dans mes bras. Je m'installai avec lui dans la chaise berçante – il faut dire « berceuse », mais, pour certains mots chargés d'émotivité, je fais une entorse aux recommandations du *Petit Robert*.

Je berçai longuement le jeune chat. Il devait éprouver un sentiment de rejet, à cause de la vieille femme et de Chaloupe, et je voulais le consoler. C'est ce que ma mère faisait quand j'étais petite. Elle me chantait des ballades comme *Un oranger sur le sol irlandais*.

En le caressant, je vis que son collier était trop serré. Je le détachai pour regarder ce qui n'allait pas : quelque chose était coincé sous la plaque de laiton, on aurait dit un bout de papier qui dépassait. Je me rendis dans la cuisine, le chat dans les bras, et je pris une paire de ciseaux qui traînait à côté de l'évier. La plaque de laiton était fixée au collier par quatre griffes qui se refermaient sur la lanière de cuir. Posant le chat par terre, j'ouvris les griffes avec la pointe des ciseaux, et c'est alors qu'un morceau de papier tomba sur le comptoir de l'évier.

Après avoir déplié le bout de papier, qui était sale et tout chiffonné, je lus le texte suivant :

> *Je m'appelle Famine. Je suis sur la route parce que ma maîtresse ne peut plus s'occuper de moi,..............................*

Les derniers mots, après la virgule, avaient été effacés. Le texte était écrit à l'encre noire. Je le relus plusieurs fois, cherchant à comprendre : il s'agissait peut-être d'un message de détresse. Et il manquait des mots. J'étais à la fois inquiète et intriguée.

Il fallait que je demande l'avis de monsieur Waterman.

7

JULES VERNE ET LE JUS DE CITRON

En moins de quinze minutes, j'étais devant la Tour du Faubourg. Je garai la Jeep dans la rue Saint-Jean, presque en face de l'immeuble. L'écrivain habitait au douzième étage. C'était la première fois que j'allais chez lui. Il m'avait invitée à plusieurs reprises, mais j'avais toujours refusé. Pour afficher ma liberté, si vous voulez le savoir.

J'avais roulé à toute vitesse, sans réfléchir au fait qu'il pouvait être sorti ou avoir de la visite. Et maintenant, en proie au doute, je me posais des questions alors qu'il était nécessaire de foncer : l'horloge de l'ancienne église St. Matthew indiquait huit heures passées.

Deux amoureux entraient dans l'immeuble en se bécotant. Je me faufilai derrière eux avant que la porte ne se referme. Je pris l'ascenseur jusqu'au onzième étage et, pour me calmer les nerfs, je gagnai le douzième par l'escalier. Après avoir suivi un couloir qui faisait un coude, je frappai timidement à l'appartement de l'écrivain.

Au moment où j'allais frapper une deuxième fois, monsieur Waterman ouvrit la porte. Le point d'interrogation qui se voyait sur son visage se changea vite en un sourire. J'étais soulagée : au moins je ne dérangeais pas.

— Veux-tu boire quelque chose avec moi ? demanda-t-il.

— Avec plaisir, dis-je.

— Thé ? Café ? Une tisane ?

— Et vous, qu'est-ce que vous buvez ?

— Le pire café qui existe : instantané et décaféiné.

— Ça me convient.

Ma voix était ferme, il ne pouvait pas deviner mon inquiétude. Après avoir mis de l'eau à chauffer sur le poêle électrique, il me montra le reste de l'appartement. À part la cuisine, il y avait une chambre et un grand séjour, très lumineux, avec une porte-fenêtre occupant tout le mur du fond et donnant sur un balcon. Même sans sortir, on avait une vue panoramique sur la basse-ville et, à l'horizon, sur le profil arrondi des Laurentides. Le double vitrage de la porte-fenêtre étouffait les bruits extérieurs, de sorte que le paysage avait une apparence irréelle qui contrastait avec la nature vivante et bruissante dans laquelle j'étais plongée à l'île d'Orléans.

Monsieur Waterman posa les tasses fumantes sur la table à manger du séjour, après avoir déplacé les livres et les enveloppes usagées couvertes de gribouillis qui l'encombraient. Il avait l'habitude de travailler dans sa chambre, où une installation lui permettait d'écrire debout, mais il faisait souvent les cent pas dans le séjour, à la recherche d'une idée ou d'un bout de phrase. Et quand il avait trouvé, il s'asseyait à cette table pour griffonner quelques mots sur une des enveloppes de son courrier. Étant au fait de cette manie, je lui envoyais des lettres afin qu'il ne manque jamais de quoi écrire.

Nous bûmes une gorgée de café en silence. Il ne demandait pas la raison de ma visite, il attendait gentiment que je lui explique. Alors je sortis le papier chiffonné de ma poche et le posai devant lui. Il le lut et tout de suite je le vis froncer les sourcils. En toute franchise, je n'étais pas fâchée de savoir qu'il partageait mon inquiétude.

— Où as-tu trouvé ça ? demanda-t-il.

— C'était coincé sous le collier. Je veux dire, sous la plaque de laiton.

— Il manque des mots...

— Oui.

Je lui racontai tout ce qui s'était passé, y compris ma rencontre avec la fillette du bout de la route.

— Ça ressemble à un signal de détresse, dit-il.

— C'est ce que je pense aussi.

— Mais le message n'est pas clair. Et puis, il était caché : on aurait pu ne pas le trouver !

— Mais oui, si je n'avais pas détaché le collier...

Monsieur Waterman avala plusieurs petites gorgées, puis se mit à réfléchir à haute voix :

— Je ne comprends pas. Cette fille a besoin d'aide, mais en même temps elle s'organise pour ne pas avoir beaucoup de chances d'en recevoir...

— Ce serait quelqu'un qui joue avec le feu ?

— On dirait bien.

— Alors il faut l'aider au plus vite !

— Bien sûr, mais comment ?

Il relut le message, puis me le tendit :

— Tu ne trouves pas que le papier est un peu jauni à l'endroit où il manque des mots ?

— Oui, c'est vrai.

— Peut-être qu'ils ont été effacés volontairement...

Je me levai et m'approchai de la porte-fenêtre avec le papier. À contre-jour, on voyait nettement le contour de la tache jaunâtre, mais les mots eux-mêmes demeuraient invisibles. La fille n'avait pas utilisé un liquide correcteur.

Tout à coup, il me vint une idée. Dans mon enfance, j'avais lu un roman d'aventures, peut-être un Jules Verne, où le héros arrivait à déchiffrer une carte au trésor dont certains mots étaient illisibles... pour quelle raison, déjà ?... Ah oui ! les mots clés avaient été rédigés avec du jus de citron, puis ils avaient disparu en séchant et l'homme les faisait réapparaître en utilisant un truc... Merde ! je n'arrivais pas à me rappeler le truc dont il s'agissait. Je racontai cette histoire à monsieur Waterman et, soudainement, la mémoire me revint : pour que les mots réapparaissent, le héros faisait chauffer le texte à la flamme d'une chandelle !

Monsieur Waterman n'avait pas de chandelles, mais il trouva un carton d'allumettes dans un tiroir de la cuisine – je dirais une «pochette d'allumettes», si je ne craignais pas de me faire traiter de snob. Ayant frotté une allumette, j'approchai la flamme à quelques centimètres de l'endroit où les mots étaient invisibles. Monsieur Waterman regardait par-dessus mon épaule et je sentais son souffle dans mon cou. Il ne se passa rien du tout, les mots ne réapparurent pas. Je refis le même geste une fois, deux fois sans succès.

Je décidai alors de chauffer le papier par-dessous. C'était une erreur. Je craquai une autre allumette et, pendant que je la déplaçais, la flamme me brûla les doigts. Instinctivement, je secouai la main et ce geste nerveux fut suffisant pour mettre le feu au morceau de papier. Ce genre de maladresses n'arrivent qu'à moi. Je lâchai tout, l'allumette et le papier enflammé, qui atterrirent sur le plancher de bois franc. Monsieur Waterman fut le plus rapide de nous deux, il éteignit le feu avec sa sandale. Quand il mit un genou en terre pour ramasser le papier, je ne respirais plus du tout. Le message n'était qu'un débris calciné et je me sentais terriblement coupable. J'étais une maladroite, une moins que rien, la dernière des dernières.

Monsieur Waterman se releva, tenant à la main le bout de papier noirci et à moitié carbonisé. Curieusement, son visage sillonné de rides était éclairé par un sourire. Je fus encore plus étonnée quand il me fit voir que, si le papier était presque réduit en cendres, la dernière ligne du texte, par miracle, était maintenant complète et se lisait facilement. En reconstituant la phrase, on obtenait ce message, qui nous bouleversa tous les deux :

> *Je m'appelle Famine. Je suis sur la route parce que ma maîtresse ne peut plus s'occuper de moi,* ni d'elle-même...

8

LA VOIX ROCAILLEUSE
D'HUMPHREY BOGART

Au chalet, ma nuit fut découpée en petits bouts.

Un bout pour le sommeil, un pour les mauvais rêves, un pour l'inquiétude, un pour le chocolat chaud, un pour le reflet de la lune sur l'étang, un pour les regrets et la nostalgie, et encore un pour le sommeil. Au matin, dans le miroir des toilettes, j'avais l'air d'une naufragée.

D'abord, je m'occupai des chats. Je fis entrer Chaloupe, qui avait passé la nuit dehors, et je lui servis des croquettes et de l'eau. Ensuite, je sortis par la porte arrière avec deux autres plats : le chat noir m'attendait sur le perron.

Après le petit déjeuner, je m'installai comme d'habitude à la grande table du solarium pour avancer dans mes traductions. La grosse chatte sauta sur la table et s'étendit au milieu de mes papiers, occupant toute la place, la tête appuyée sur mon *Harrap's*. Il était sept heures du matin et je disposais d'une heure ou deux avant d'être assaillie de nouveau par une foule de questions concernant la jeune fille et son message de détresse. Et je savais que, ce jour-là, monsieur Waterman ne pouvait pas m'aider puisqu'il recevait la visite de son éditeur.

On fait un drôle de travail, nous les traducteurs. N'allez pas croire qu'il nous suffit de trouver les mots et les phrases qui correspondent le mieux au texte de départ. Il faut aller plus loin, se couler dans l'écriture de l'autre comme un chat se love dans un panier. On doit *épouser* le style de l'auteur.

Les jours où je n'y arrive pas bien, j'emprunte les vêtements que monsieur Waterman laisse en permanence au chalet de manière à les avoir sous la main en fin de semaine. J'ai le choix entre ses sandales Birkenstock, sa chemise en jean ou son vieux bob en toile bleue. C'est une habitude un peu zouave, mais elle me donne le sentiment d'être plus proche de lui et de son écriture.

Ce matin-là, je me plongeai dans mon travail en faisant comme si rien d'autre ne comptait dans ma vie. Pour gagner mon pain, je révisai d'abord un texte que j'avais traduit pour le *Dictionary of Canadian Biography*. Ensuite je traduisis deux courts chapitres du roman de monsieur Waterman, très lentement parce que c'était de cette façon que lui-même travaillait. Au bout d'une heure et demie, je sentis le besoin de refaire du café. J'étais dans la cuisine quand une idée me traversa brusquement l'esprit : quelqu'un – une ancienne connaissance – pouvait m'aider à résoudre le mystère du signal de détresse. Lorsque je voulus reprendre ma traduction, j'avais perdu toute capacité de me concentrer.

La personne à laquelle je songeais était un policier à la retraite qui exerçait le métier de détective privé. Au cours de mon adolescence, j'avais fait deux fugues presque coup sur coup, étant convaincue que personne au monde ne m'aimait. Ma mère avait chargé cet homme de se mettre à ma recherche et de me ramener à la maison. Il l'avait fait avec une grande délicatesse, contrairement à ce qu'on pourrait croire. J'avais gardé un bon souvenir de lui. Il s'appelait Milhomme, un nom que je ne pouvais pas oublier : à cette époque, j'avais reproché à ma mère d'avoir lancé *mille hommes* à mes trousses.

Je consultai les pages jaunes au mot « détective » : le nom et l'adresse de Milhomme s'y trouvaient. Mais il n'était que huit heures trente, je devais attendre au moins une demi-heure avant de téléphoner. J'allai dehors avec Chaloupe et, pour tuer le temps, j'arrachai quelques algues avec un bâton, sans entrer dans l'eau. En levant la tête, j'aperçus le chat noir qui descendait à reculons de son érable. Il s'approcha de l'étang en se cachant dans les hautes herbes parsemées d'épervières : depuis que je l'avais bercé, il recherchait ma compagnie. Quand il s'avança à découvert, la vieille Chaloupe ne se lança pas à sa poursuite. C'était la première fois qu'elle acceptait sa présence et je la remerciai en lui murmurant une série de mots doux.

J'attendis jusqu'à neuf heures cinq, et encore deux ou trois minutes, puis je rentrai au chalet pour appeler le détective. J'eus sa femme au bout du fil. Il était sorti, mais elle pouvait le joindre sur son portable en cas d'urgence. Je donnai mon nom et mon numéro, précisant que c'était une question de vie ou de mort, et je raccrochai.

Pour préserver ma liberté, je n'avais pas de portable – je préfère ce mot à « cellulaire », qui pour moi évoque la prison. Mon téléphone était sans fil, alors je retournai dehors en emportant le combiné et je me mis à marcher autour de l'étang. J'ai horreur d'attendre, si vous voulez le savoir. Je bouillais d'impatience, je lançais des injures aux corneilles, je me battais avec les mouches à chevreuil : « Va-t'en, chétif insecte, excrément de la terre ! » J'engueulais les ouaouarons, surtout le plus bruyant, celui que j'appelais Monsieur Toung comme dans *Cet été qui chantait* de Gabrielle Roy. Bref, je n'étais pas dans mon état normal et les chats se tenaient à distance respectueuse.

Le téléphone sonna enfin. Le détective se souvenait de moi et s'informa de ma santé. J'avais oublié le ton si particulier de sa voix : elle faisait penser à Humphrey Bogart, c'était comme un ruisseau qui coule sur un lit de roches. Coupant court aux formules de politesse, je lui demandai comment on pouvait découvrir le nom et l'adresse d'une personne à partir de son numéro de téléphone. J'eus honte quand il m'apprit qu'il existait des annuaires spécialement faits pour cet usage, sur papier ou sur écran. Loin de se moquer de moi, pourtant, il m'assura que si je lui donnais le numéro en question, il allait communiquer avec un ancien collègue, à la Centrale de police du parc Victoria. Il se faisait fort d'obtenir des renseignements très précis et même confidentiels.

Cinq minutes plus tard, le détective rappelait pour m'indiquer l'adresse de la fille : 609, rue Richelieu. Comme il s'agissait d'une mineure, son nom avait été rayé du dossier, mais elle était *connue des services de police*. Je devais faire très attention où j'allais mettre les pieds. Il ajouta que le dossier avait été mis à jour, ce qui pouvait s'expliquer de deux façons : soit elle était recherchée de nouveau, soit on la protégeait parce qu'elle avait témoigné contre une personne haut placée.

Avant de raccrocher, il me demanda de présenter ses hommages à ma mère. Sur le coup, je ne trouvai pas les mots pour lui dire qu'elle n'était plus là.

9

UN SALUT À L'ANCIENNE

Depuis que les beaux jours étaient arrivés, je dormais dans le solarium. La première chose que je faisais en me levant le matin, la tignasse en désordre, c'était de regarder ce qui se passait sur l'étang. Parfois, j'avais la chance de voir le Grand Héron Bleu.

En français, il s'appelle tout simplement *Grand Héron*, mais je préfère le nom de *Great Blue Heron* qu'on lui donne dans mon *Peterson's Field Guide to the Birds*. Quand on le regarde attentivement, on voit bien que ses plumes grises sont teintées de bleu.

En passant, je ne sais pas si les traducteurs font toujours leur travail d'une manière consciencieuse. Voulez-vous me dire pourquoi l'expression *se lever au chant du coq* a été traduite par *to get up with the lark* ! Et pourquoi *to sing like a lark* devient en français *chanter comme un rossignol* ! Si ma mère était là, elle éclaterait de rire, et son rire résonnerait jusqu'à l'autre bout de l'île d'Orléans.

Un matin de juin, je vis que le héron était venu avec sa compagne. Ils pêchaient tous les deux au bout du quai. De crainte de les effaroucher, j'évitais tout mouvement brusque derrière la fenêtre. Ils avaient les mêmes couleurs, le même cou replié, un long bec jaune et deux aigrettes noires flottant derrière la tête, mais la femelle était un peu plus petite.

Chaloupe sauta sur le divan-lit et se mit à frotter son museau contre mes jambes. Elle voulait son petit déjeuner, alors je me rendis à la cuisine en marchant toute courbée, presque à quatre pattes, et je lui donnai ses croquettes. Quand je revins à mon poste, les hérons avaient quitté le quai et se déplaçaient sur la rive, l'un derrière l'autre, à pas lents et mesurés ; le mâle précédait sa compagne. Ils gagnèrent un endroit où l'affaissement du sol facilitait l'accès à l'eau. J'utilisais moi aussi cette pente douce pour me baigner, lorsque je ne plongeais pas du quai.

Le mâle fut le premier à descendre dans l'eau. La femelle lui emboîta le pas, se tenant à deux mètres derrière lui. Leur façon de marcher me faisait penser à monsieur Waterman, quand il venait me voir les fins de semaine. Il était censé se reposer de son travail, mais je le voyais souvent déambuler autour de l'étang en short beige, le dos rond, les jambes maigres et les mains dans le dos. De toute évidence, il cherchait un mot, une idée, une phrase qui tardait à venir. Il posait ses pieds avec précaution, la tête penchée en avant, comme si les mots étaient cachés quelque part dans l'herbe.

Les hérons cherchaient de quoi se nourrir. Le cou replié en "S", l'œil grand ouvert, ils levaient une patte et la reposaient très délicatement, avançant la tête à chaque pas. Ils faisaient le tour de l'étang en marchant avec lenteur dans l'eau peu profonde.

Brusquement, je vis le mâle s'immobiliser, la tête au long bec ramenée en arrière. Il avait repéré un poisson, un têtard, une grenouille, une proie quelconque. Son cou se détendit, son bec fendit l'eau comme un éclair, puis il pointa la tête vers le ciel pour avaler la petite bête.

Pendant ce temps, la femelle continuait de marcher derrière lui. Elle ne trouvait pas grand-chose à manger et ce n'était pas étonnant : il se servait en premier, il ramassait tout sur son passage ! En plus, il ne prenait pas le temps de se retourner vers elle pour lui offrir ce qu'il venait d'attraper.

À la place de la femelle, je ferais un coup d'éclat. Je marcherais derrière lui aussi longtemps que nous serions dans l'herbe. Mais, en arrivant à l'endroit de la berge où l'on descend dans l'eau, je lui tournerais carrément le dos. Je partirais en sens inverse et je ferais le tour de l'étang sans m'occuper de lui. Toutes les grenouilles et les autres bestioles qui se trouveraient sur ma route, je les avalerais sans me priver. Et lorsqu'on se rencontrerait, le mâle et moi, à la moitié du chemin, je lui ferais un petit salut à l'ancienne, une sorte de révérence, en ployant le genou comme les dames faisaient autrefois devant le roi.

Je ne veux être la fidèle compagne de personne.

10

DES CHEVAUX DE COURSE
À LA RETRAITE

En ce qui concerne l'indépendance, j'avais au moins
deux modèles : ma mère et Isabelle Eberhardt.

Ma mère nous a élevées toute seule, ma sœur et
moi. Quand nous sommes nées, elle n'a même pas
averti le père : à ses yeux, il s'agissait d'une affaire
personnelle. Elle n'a jamais répondu à nos questions,
sauf pour dire que ce n'était pas le même homme.
Alors nous avons créé un jeu : c'était à qui s'inventait
le père le plus gentil. Encore maintenant, il m'arrive
d'imaginer que ce pourrait être monsieur Waterman.

Quant à Isabelle Eberhardt, j'ai appris son
existence en me promenant dans le quartier des
Grottes, à Genève, au temps où j'étudiais la
traduction. Je suis tombée par hasard sur une rue qui
portait son nom. Une affiche disait qu'elle était née
dans ce quartier le 17 février 1877. Fille d'émigrés
russes, réfractaire à toute forme d'autorité, elle était
devenue *reporter et voyageuse*. Une légende voulait
que son vrai père fût Arthur Rimbaud. Le premier
texte d'elle que j'ai trouvé se lisait comme suit :

« Pour l'instant je n'aspire qu'à [...] dormir
dans le silence et la fraîcheur de la nuit, sous des

étoiles filantes tombant de très haut, avec pour toit l'immensité sans fin du ciel, et pour lit la chaleur de la terre, en sachant que personne, où que ce soit sur la Terre, ne se languit de moi, que nulle part l'on ne me regrette ou l'on ne m'attend. Savoir cela, c'est être libre et sans entraves, nomade dans le grand désert de la vie où je ne serai jamais rien d'autre qu'une étrangère. »

À vingt ans, elle débarquait en Algérie. Elle vivait aux confins du Sahara et menait une vie de nomade. Déguisée en homme, portant le pseudonyme de Mahmoud, elle accompagnait des caravanes ou des convois de militaires. Elle dormait n'importe où, elle aimait qui elle voulait. Sept ans plus tard, atteinte du paludisme, elle mourait noyée par la crue d'un oued qui s'était transformé en torrent.

J'avais lu ses carnets de voyage et ses nouvelles. En hommage à son esprit d'indépendance, j'avais appris par cœur des passages de ses textes. Je me les redisais de temps en temps, pour ne pas les oublier, et il m'arrivait aussi de les réciter aux chevaux de course qui étaient à la retraite.

Le chalet était construit au milieu d'un terrain boisé qui descendait par paliers jusqu'à une falaise abrupte. Les chevaux se trouvaient au pied de cette falaise, dans un parc fermé par une clôture électrique. On les entendait hennir de loin. Pour aller les voir, il fallait emprunter un sentier tortueux et encombré de roches et de rondins qui commençait au bout de mon terrain, à la Croisée des murmures, comme je l'ai expliqué. Le sentier était très à pic : on ne le descendait pas vraiment, on le déboulait. Il valait mieux regarder où l'on mettait les pieds, sinon c'était la glissade et on se ramassait sur les fesses. C'est à peine si on avait le temps de jeter un coup d'œil vers la voûte de feuillage que les arbres formaient au-dessus de notre tête.

Au bas du sentier, on débouchait sur un champ d'avoine. Juste à droite se trouvait le parc des chevaux. Il était plutôt étroit et s'étendait du pied de la falaise jusqu'à la batture du fleuve.

Sans être une experte, j'avais presque la certitude que c'étaient des chevaux de course. J'avais noté, dès ma première visite au chalet, que le voisin du haut de la côte possédait une piste en terre battue autour de sa maison ; des chevaux attelés à des sulkys tournaient au petit trot sur cette piste. Ceux qui broutaient dans le parc, au bas de la côte, étaient plus vieux et un peu empâtés, si je peux me permettre. J'en avais déduit qu'ils avaient été mis à la retraite et j'éprouvais de la sympathie pour eux. Ils avaient connu les feux de la rampe, les applaudissements, peut-être même qu'ils avaient participé à des courses aussi fameuses que le Derby du Kentucky ; et maintenant, relégués dans le champ le plus lointain, oubliés de tout le monde, ils passaient leur temps à ruminer les exploits de leur jeunesse.

Dès que j'apparaissais dans la lumière, au bas de la falaise, ils tournaient la tête vers moi et m'observaient, les oreilles dressées. Pour les rassurer, je prenais une voix douce et, m'approchant de la clôture, je leur disais bonjour, comment allez-vous, il fait beau pour la saison – les formules de politesse que tout le monde connaît.

Ils étaient une douzaine, tous différents de couleur et de taille, et on voyait qu'ils aimaient bien se tenir collés les uns sur les autres. L'un d'eux, plus petit que ses congénères, se détachait du groupe et venait vers moi en secouant sa crinière blonde. Alors, me glissant entre deux fils, j'entrais dans l'enclos pour éviter qu'il ne prenne un choc électrique. Il se laissait caresser l'encolure et le museau, ensuite les autres s'approchaient lentement en chassant les mouches avec leur queue. Ils venaient voir si je leur apportais des pommes, des framboises, un fruit qui allait les changer un peu de l'inévitable mélange d'herbe et de trèfle. Quand je leur offrais une fraise ou une framboise, ils la prenaient très délicatement, c'est tout juste si ça me chatouillait le creux de la main.

Avant de m'en aller, je leur récitais un texte d'Isabelle Eberhardt où il était question de chevaux, de la lune et d'une fête qui se déroulait au loin et pour laquelle il fallait une invitation :

«La nuit est froide et claire. C'est la pleine lune de *Ramadhane*. Des torrents de lumière glauque coulent sur le village où brûlent les flammes brutales et rouges des lanternes, devant les cantines. Ici, dans la cour du bureau arabe, entre les masures croulantes, les chevaux entravés sommeillent.

Parfois un étalon s'éveille et hennit, les naseaux dilatés, tendus vers le coin où les juments mâchent, tranquilles, leur paille sèche. Il y a grande fête, ce soir, chez les *mokhazni*.»

Les chevaux de course à la retraite étaient devenus mes confidents. Je ne dis pas qu'ils comprenaient tout, mais tous les mots aux consonances étrangères leur faisaient dresser l'oreille. Ils étaient sensibles à la musique des mots, c'est un goût que nous avions en commun.

11

UNE GRAINE DANS LE GAZ

Monsieur Waterman était un maniaque du travail et je ne le dérangeais pas sans raison valable. Rien d'autre ne comptait dans sa vie que l'écriture. Il n'avait pas toujours l'air de travailler, on ne le voyait pas traîner partout son cahier de notes, mais en réalité il n'arrêtait pas de chercher un mot ou bien un bout de phrase. Au meilleur de sa forme, il était capable d'écrire *une bonne demi-page* dans une journée : c'est ce qu'il racontait, je le jure.

Pour ménager son dos – qui, disait-il, était plus connu que lui –, il s'installait dans un coin de sa chambre où il pouvait travailler debout. En fait, il était mi-debout, mi-assis. Il posait son cahier sur une boîte à pain, elle-même placée sur une planche à repasser dont il réglait la hauteur pour que le cahier arrive au niveau de ses coudes : c'était à son avis la hauteur idéale pour écrire. Par-derrière, une commode surmontée d'une étagère en léger retrait soutenait à la fois son postérieur et son dos. Cette position lui permettait d'allonger ses jambes en diagonale sous la planche à repasser.

Installé de cette façon, des bouchons de cire dans les oreilles, on se serait attendu à ce qu'il écrive sans bouger pendant des heures. Tout au contraire, à peine avait-il commencé à travailler qu'un mot lui faisait défaut. Quittant son petit coin, il se rendait à la cuisine, mangeait un biscuit sans même s'en apercevoir, passait dans la pièce de séjour et tournait les pages du *Petit Robert* qui était ouvert en permanence sur le dessus d'une bibliothèque. Ensuite il faisait les cent pas, contemplait la basse-ville par la porte-fenêtre, et voilà que le mot qu'il n'attendait plus arrivait soudainement. Il retournait dans son coin pour l'écrire.

C'était presque incroyable, il ne pouvait rédiger deux phrases d'affilée sans éprouver le besoin de marcher dans l'appartement. Il marchait, grignotait, regardait dehors : telle était sa façon d'écrire. Autrefois, quand il avait vingt ans et un dos normal, il pouvait facilement passer trois heures à sa table de travail sans même lever la tête. C'est du moins ce qu'il disait.

Rien de tout cela ne m'étonnait vraiment. Plus j'avançais dans la traduction de son roman, plus je comprenais une chose : le livre que j'avais en main constituait la dernière étape de son œuvre. Celle-ci était à présent terminée. Tout ce qui allait venir ensuite, si je peux me permettre, ne pouvait être qu'un *hors-d'œuvre*.

Monsieur Waterman était maigre et fatigué, il aurait dû se reposer et profiter de la vie. Déjà, il avait fait un infarctus. De temps en temps, son cœur s'arrêtait quelques secondes... et repartait. On se promenait dans le Vieux-Québec, par exemple, et soudain il s'immobilisait et prenait ma main. C'était sa façon de me prévenir qu'il avait un malaise. Il devenait tout pâle, et j'arrêtais de respirer moi aussi, mais ça ne durait que cinq secondes ; il lâchait ma main, son cœur était reparti. Et alors, pour que je ne m'inquiète pas trop, il employait une expression qui lui venait de son père : « C'est rien, une graine dans le gaz. » Son père avait un vieux pick-up et c'est ce qu'il disait quand le moteur *étouffait*.

Qu'il s'obstinât à travailler en dépit du bon sens, cela ne m'autorisait pas à le déranger n'importe quand. Le jour où le détective m'a trouvé l'adresse de la fille, j'ai attendu jusqu'à seize heures avant de l'appeler pour lui annoncer la nouvelle. Heureusement, sa journée était finie, il faisait les mots croisés du *Soleil*. Je lui ai donné l'adresse. D'après lui, c'était probablement tout près de sa tour, du côté nord ; il ne manquerait pas de passer par là en faisant une promenade. Lorsque j'ai mentionné les hypothèses du détective, à savoir que la fille était recherchée ou protégée par la police, son ton a changé. Il a déclaré qu'il s'y rendait immédiatement et allait me rappeler aussitôt que possible.

Au bout de vingt minutes, il m'a expliqué que l'adresse correspondait à une maison de trois étages, sans compter le sous-sol. Il avait ouvert la porte extérieure, mais celle donnant accès aux étages était fermée à clé. Apparemment, il n'y avait pas de concierge. Toutes les boîtes aux lettres portaient le nom des locataires, sauf celle qui semblait appartenir à l'occupant du troisième. C'est tout ce qu'il avait noté dans l'entrée. Mais, en sortant, il avait trouvé un repère qui allait lui permettre de surveiller cet endroit depuis sa fenêtre du douzième étage : la maison d'en face avait un toit en tôle rouge vif.

12

L'ART D'APPRIVOISER

Dans mes rêves, je voyais souvent un renard bleu. C'était probablement celui qui s'appelle *isatis* (d'après mon *Petit Larousse*) et qui vit dans les régions arctiques. Il n'est pas vraiment bleu, mais la lune ou le soleil de minuit allument des reflets bleutés sur son poil gris.

Les chances que je l'aperçoive au chalet étaient nulles. En revanche, presque tous les jours à la brunante, je voyais un renard roux. Il descendait le chemin de terre au petit trot en examinant les alentours. La fréquence de ses visites me donnait à penser que j'étais sur son territoire de chasse. Il avait un museau effilé, des oreilles pointues, un corps efflanqué, une queue longue et fournie avec des poils blancs à l'extrémité, et il était encore plus roux que moi, je le jure.

Un soir, étant à court de bois sec pour allumer le poêle, je ramassais des branches mortes derrière le chalet. Le temps était doux, mais je continuais de faire des attisées parce que j'aimais trop l'odeur et le ronronnement du feu de bois. Le petit chat noir me suivait partout, se frôlant contre mes jambes, tandis que la vieille Chaloupe chassait les mulots sur le terrain du voisin.

La sonnerie du téléphone me fit rentrer en vitesse. Comme je m'étais un peu éloignée du chalet, je n'attrapai le combiné qu'au cinquième coup. On avait déjà raccroché. C'était peut-être monsieur Waterman, mais je n'avais aucune raison de m'inquiéter. Après son travail, il m'appelait souvent pour parler de tout et de rien, ou parce qu'il avait oublié un mot ou le titre d'un livre, ou encore pour me poser une question du genre : «Comment fait-on pour que le riz brun ne goûte pas les écailles de crevettes?»

En jetant un coup d'œil machinal par la grande fenêtre de la cuisine, je vis poindre une silhouette au sommet de la côte. Des bras se balançaient, donc il ne s'agissait pas d'un animal. C'était une personne de petite taille qui descendait vers le chalet. Quand je vis les deux tresses, presque à l'horizontale, je reconnus la fillette du bout de la route, celle qui m'avait donné des renseignements sur la vieille et le taxi.

Je sortis pour l'accueillir. Le chat noir, qui m'attendait sur le perron, s'enfuit vers l'arrière du chalet en voyant la fille s'approcher.

— Il a peur de moi? demanda-t-elle.

— Pas de toi en particulier, dis-je. Il a peur de tout le monde.

— De toi aussi?

— Non. Je l'ai apprivoisé.

— Est-ce qu'il a un nom?

— Il s'appelle *Famine*. Parce qu'il est maigre, je suppose.

62

— Je vais l'apprivoiser, moi aussi.

Elle prit ma main pour que je la conduise derrière le chalet. Il y avait des années que je n'avais pas tenu une main aussi petite dans la mienne, et j'eus tout à coup le sentiment d'être beaucoup plus vieille. La fillette portait un short rose, des souliers en toile de la même couleur et une chemisette blanche avec des motifs imprimés qui représentaient un éléphant, un ourson, une girafe, un dauphin, un lapin. Ma sœur avait un costume du même genre pour dormir.

En arrivant au bord du talus qui plonge vers l'érablière, nous vîmes le chat noir en train de grimper à l'arbre où se trouvait la grande cabane d'oiseaux. Il mit une patte sur le perchoir et se faufila à l'intérieur.

— C'est sa maison ? demanda la petite.

— Oui, dis-je. Comme ça, il est en sécurité.

J'expliquai à la fillette qu'il avait été mal accueilli par ma vieille chatte ; elle en était venue à le tolérer, mais le petit chat continuait de se méfier. Ma visiteuse fit signe qu'elle comprenait et demanda ensuite pourquoi la chatte était dégriffée, et comment il se faisait que l'ouverture de la cabane avait été agrandie. Pour mettre un terme à ses questions, je décidai d'en poser moi-même une ou deux :

— As-tu revu la vieille dame qui avait apporté le petit chat ?

— Non, dit-elle.

— Et ton pépé, il va bien ?

— Oui, mais il dort à cause des médicaments. C'est pour ça que je suis venue. Est-ce que je te dérange ?

— Pas du tout. Je ramassais des branches pour le poêle à bois.

— C'est tout ce que tu fais ?

— Non, j'arrache aussi des algues dans l'étang.

Je pointais mon doigt vers l'étang en contrebas. Pour que la fillette n'aille pas s'imaginer que c'était là mon occupation principale, j'ajoutai que je passais beaucoup de temps à traduire un livre en anglais. Cette information ne sembla pas du tout l'intéresser.

— Pourquoi tu les arraches, les algues ?

— Parce que l'eau est poisseuse.

— Ça veut dire qu'il y a trop de poissons ?

Je la regardai de biais pour voir si elle plaisantait, mais non.

— *Poisseuse,* ça veut dire que l'eau est un peu gluante. *Collante,* si tu préfères. Tu comprends ?

— Comment tu fais pour arracher les algues ? demanda-t-elle.

Et, tirant sur ma main, elle m'entraîna aussitôt en bas du talus, puis au bord de l'étang. Curieusement, la couleur de son short et de ses souliers était identique à celle des salicaires qui fleurissaient sur la rive depuis une semaine.

— Il y a deux méthodes, dis-je. Avec mes mains ou avec l'arracheur d'algues.

J'aurais dû m'en douter, elle exigea une démonstration de la deuxième méthode. Craignant de rater un autre coup de fil de monsieur Waterman, je priai la fillette de m'excuser un instant. Je remontai au chalet en courant et revins avec le combiné du téléphone que je laissai sur la table à pique-nique.

L'arracheur d'algues traînait sur le quai. Ce nom prétentieux désignait une simple gaule, une perche au bout de laquelle était attachée une solide ficelle. C'était un instrument de mon invention, une *patente*, comme on dit chez nous. Sous les yeux écarquillés de la petite, j'entrai dans l'eau en tenant la gaule d'une main et la ficelle de l'autre. Ayant trouvé une touffe d'algues, je plongeai l'extrémité de ma gaule au fond de l'eau, de manière à encadrer la touffe. Ensuite je ramenai la ficelle le long de la perche et j'imprimai un mouvement rotatif à l'instrument. Il ne restait plus qu'à donner un coup sec pour arracher les algues enroulées autour de la gaule.

Je venais d'arracher une grosse touffe et je l'avais déposée sur le quai aux pieds de la fillette, qui riait et battait des mains, quand j'aperçus le renard roux. Bizarrement, lui qui se méfiait de tout et ne restait jamais en place, il était assis au bas de la côte en train de nous regarder. Je fis signe à la petite de ne pas faire de bruit.

— Je le connais, chuchota-t-elle.

— Ah oui ?

— Une fois, quand il était pas malade, mon pépé me l'a montré avec son doigt : il passait en courant au fond de notre terrain. Mais je l'avais déjà vu avant.

— Où ça ?

— Dans un livre. Il était pareil : la même couleur, le nez pointu, les grandes oreilles, la belle queue. Il était juste un peu plus petit et il parlait.

— Qu'est-ce qu'il disait ?

— Toutes sortes d'affaires. Il disait qu'il était pas apprivoisé.

— Et alors ?

— Ben... pour l'apprivoiser, c'était toute une histoire !

— Peux-tu me raconter ça ?

À son tour, elle me regarda de travers. Elle avait l'air de se demander si j'étais sincère ou si je jouais la comédie, alors je déclarai que j'avais lu un récit de ce genre quand j'étais petite mais que je ne m'en souvenais plus. Après quelques secondes, elle parut me faire confiance et se mit à raconter l'histoire par courtes phrases qu'elle reliait avec des «et», ceux-ci étant plus nombreux que dans toutes les histoires que j'avais lues ou entendues dans ma vie, y compris les textes d'Ernest Hemingway que j'avais empruntés à monsieur Waterman.

— C'est un garçon, commença-t-elle. Il vient d'une petite planète de rien et il a un drôle de foulard autour du cou, et il a eu des problèmes avec un mouton et une rose, et un jour il arrive dans le désert et il rencontre un renard qui veut être apprivoisé...

Elle s'arrêta pour vérifier si le renard était toujours au bas de la côte. Il n'avait pas bougé, je n'en croyais pas mes yeux. Jamais, auparavant, je ne l'avais vu assis ou immobile : d'habitude, il trottait en regardant à gauche et à droite.

— Ensuite ? demandai-je doucement.

— C'est compliqué ! se plaignit-elle.

— Comment ça ?

— Mettons que je veux t'apprivoiser. Il faut que je vienne à la même heure tous les jours. Le lundi, je reste en haut de la côte et je te regarde de loin. Le mardi, je me rends au milieu de la côte, où il y a des pommiers. Le mercredi, je descends jusqu'à l'endroit où le renard est assis. Le jeudi, je m'installe à la table à pique-nique. Le vendredi, je m'arrête au bord de l'étang, et le samedi, je m'assois sur le quai, les pieds dans l'eau. Et le dimanche, j'ai la permission de te parler et de dire n'importe quoi. Tu vois comment c'est compliqué ?

— Je vois. Merci de m'avoir expliqué tout ça.

Apparemment, elle n'avait pas l'habitude d'être remerciée, car elle resta bouche bée. Quand je tournai les yeux vers le renard, il n'était plus là. Il avait quitté les lieux, comme s'il avait compris que l'histoire était terminée.

13

LA SORCIÈRE

Le coup de fil de monsieur Waterman n'arriva que le lendemain. Je ne l'attendais plus, car nous étions vendredi et l'horloge du poêle électrique indiquait quatre heures moins le quart : d'habitude, c'était à ce moment que l'écrivain quittait la Tour du Faubourg pour venir passer la fin de semaine chez moi. Je me préparais d'ailleurs à faire un peu de rangement dans le chalet, où mes affaires étaient toujours à la traîne.

Il avait une voix hésitante :

— Je t'ai parlé de la maison de la rue Richelieu... la maison où habite la fille qui a écrit le message, tu te souviens ?

— Bien sûr que je me souviens !

— Eh bien, il y a une terrasse sur le toit... Tout à l'heure, j'avais du mal à travailler, les mots ne venaient pas, alors j'ai tourné en rond dans le séjour et je me suis arrêté devant la porte-fenêtre du balcon...

— Oui...

— En regardant avec les jumelles, j'ai vu une fille. Elle était étendue sur une chaise longue.

Monsieur Waterman avait, de toute évidence, une nouvelle grave à m'annoncer et il tournait autour du pot, de crainte que je m'énerve. Mais j'étais deux fois plus énervée, si vous voulez le savoir.

— *Et alors ?*

— Je la regarde encore en ce moment. Elle est très jeune, elle a le teint pâle, les cheveux courts. Ses yeux sont fermés, on dirait qu'elle dort. Elle porte un jean et une sorte de maillot de corps, sans manches. Je dis ça parce qu'on voit ses poignets.

— *Qu'est-ce qu'elle a aux poignets ?*

— Elle a des pansements, dit-il d'une voix morne.

— *J'arrive tout de suite !*

Au comble de l'inquiétude, j'attrapai mon portefeuille, les clés de la Jeep et mes papiers, et j'allais sortir quand l'écrivain rappela. Il n'avait pas eu le temps de me dire que son rendez-vous hebdomadaire avec une chiro de la Clinique de l'Arthrose avait été décalé. C'était à quatre heures trente et il partait dans une minute. Ensuite, il devait passer par la bibliothèque pour rendre des livres empruntés depuis trop longtemps.

Je répondis que j'allais l'attendre au cimetière et que je n'étais pas impatiente. Heureusement qu'il ne me voyait pas ! Sortant en coup de vent, je mis la Jeep en marche, puis je me ravisai et rentrai au chalet : j'avais oublié de laisser des croquettes et de l'eau aux chats. C'est ce que je fis, puis je remontai dans l'auto, mais avant même de refermer la portière, il me fallut retourner dans le chalet, car les deux chats étaient dehors ! Je plaçai la nourriture sur la table à pique-nique en espérant que les écureuils ou les ratons laveurs ne la voleraient pas. Au moment de démarrer, je sortis une dernière fois pour mettre la nourriture *sous* la table au cas où il pleuvrait.

Je brûlai deux feux rouges et, quinze minutes plus tard, j'étais rendue au cimetière de St. Matthew. Assise dans l'herbe, près de ma mère et de ma grand-mère, je commençai à réfléchir. Pour la première fois, je pris conscience que mon énervement était lié à la disparition de ma sœur. Je me mis à frissonner comme si un vent glacial m'avait brusquement frappée dans le dos.

C'était le souvenir le plus pénible de ma courte existence. Ma petite sœur s'était enlevé la vie pendant mon séjour en Europe. Puisque mes études étaient terminées, j'aurais dû me trouver auprès d'elle depuis un bon moment. Mais il faisait beau, c'était le début de l'été, je n'avais pas résisté à l'envie de prendre la route du Sud. Quittant Genève, je m'étais rendue à Lyon, puis j'avais suivi le Rhône jusqu'à la Méditerranée. J'avais ensuite longé la côte en direction sud-ouest. Je me trouvais dans un camping de Collioure, un petit village coincé entre la mer et la montagne, près de la frontière espagnole, quand j'avais appris la tragique nouvelle en téléphonant à la maison.

Il n'y avait pas de reproches dans la voix de ma mère, mais elle avait dit qu'il était trop tard pour assister aux funérailles. Ma sœur avait déjà été incinérée et, conformément à ce qu'elle souhaitait, ses cendres avaient été répandues sur une plage sablonneuse de la Grosse-Île, près de l'endroit où les premiers immigrants irlandais de notre famille étaient morts du typhus.

En ressassant ces pénibles souvenirs, je sentis se réveiller en moi le sentiment de culpabilité que j'avais refoulé au plus profond de ma mémoire. J'étais coupable de n'avoir pensé qu'à moi, de n'être pas allée au secours de ma sœur, de l'avoir abandonnée. La vieille blessure s'était rouverte.

Quand monsieur Waterman arriva, j'étais déprimée. Pour un peu, j'aurais pleuré, si vous voulez le savoir. Il eut la délicatesse de faire comme s'il ne se rendait compte de rien. S'excusant de son retard avec un sourire timide, il me tendit la main pour m'aider à me mettre debout. Et il garda ma main quelques instants dans la sienne pendant que nous marchions vers la sortie : c'était la première fois qu'il agissait ainsi.

— Mes jambes ne sont pas solides aujourd'hui, dit-il pour expliquer son geste. Un peu de fatigue, je suppose.

— On peut s'asseoir un moment, si vous voulez.

— Merci, ce ne sera pas nécessaire.

Nous sortîmes du cimetière. Le faubourg, avec ses devantures colorées, ses vitrines ésotériques, ses restaurants qui débordaient sur le trottoir, était très animé. Il y avait beaucoup de promeneurs sur Saint-Jean, alors nous prîmes la première rue à droite, qui était Sainte-Marie. Le trottoir n'étant pas assez large pour deux, nous marchions sur la chaussée quand il n'y avait pas d'autos. Deux intersections plus loin, nous tournâmes à gauche dans la rue Richelieu. La maison de la fille était tout près.

Pour faire croire que nous étions deux parents ou deux amis en visite, monsieur Waterman reprit ma main. Au numéro 609, nous arrivâmes devant un bâtiment de trois étages en briques de couleur ocre tirant sur le jaune. La porte était en bois vert foncé, comme il en existait un grand nombre dans le quartier. Monsieur Waterman l'ouvrit et j'entrai la première.

Nous étions dans un escalier abrupt aux marches recouvertes d'un gros tapis de jute. Du côté droit, on voyait trois boîtes aux lettres surmontées d'un support à journal et d'un bouton de sonnerie. Le nom de l'occupant était inscrit sur chaque boîte, sauf sur la boîte numéro 3, ainsi que monsieur Waterman l'avait indiqué dans son coup de téléphone.

D'abord, il fallait sonder la porte menant aux étages : c'est ce que je fis, mais elle était fermée à clé. Mon compagnon inclina la tête et écarta les deux mains en un geste qui signifiait : «C'est bien ce que j'avais dit !»

— Qu'est-ce qu'on fait ? demandai-je. On sonne ?

— Attends, je connais un truc, dit-il.

Il sortit de son portefeuille cinq ou six cartes plastifiées. La plus souple et la plus résistante à la fois était celle de la Bibliothèque de Québec. Il l'inséra entre la porte et le chambranle, à la hauteur de la serrure, et essaya de la glisser jusqu'au pêne. Ce fut un échec.

— On sonne, décida-t-il.

— Au troisième étage ?

— Non, elle ne répondra pas. Il faut essayer de se faire ouvrir par un des autres locataires.

— J'ai une idée, dis-je, en montrant du doigt la boîte numéro 2, sur laquelle était inscrit le nom d'un anglophone.

— Moi aussi, dit monsieur Waterman.

Nous pensions à la même chose. J'appuyai alors sur le bouton de l'autre boîte, celle de l'appartement numéro 1, qui portait un nom français et très courant à Québec.

— Qu'est-ce que c'est ? demanda une voix traînante.

— J'ai oublié *mon* clé, se plaignit l'écrivain avec un léger accent anglais.

Pour toute réponse, le grésillement d'une sonnette se fit entendre dans l'entrée, et je n'eus qu'à pousser la porte. Nous passâmes rapidement devant l'appartement du premier étage, trop heureux de constater que l'occupant ne se donnait pas la peine de vérifier notre identité. Monsieur Waterman me précéda et nous montâmes au troisième en retenant notre souffle parce que les marches de l'escalier craquaient.

En haut, un couloir traversait tout l'étage pour aboutir à une sortie de secours. La porte de l'appartement se trouvait au milieu de ce couloir. De l'intérieur nous parvenait la voix grave et un peu éraillée d'Édith Piaf. Les mots disaient :

> *Si, un jour, la vie t'arrache à moi*
> *Si tu meurs, que tu sois loin de moi*

Peu m'importe, si tu m'aimes
Car moi je mourrai aussi

Monsieur Waterman me toucha le bras et s'assit tout à coup sur la première marche de l'escalier. Son visage était pâle et crispé.

— C'est rien, souffla-t-il. Une graine dans le gaz.

Nous écoutâmes la chanson jusqu'au bout. En se relevant, il fit un faux mouvement et perdit l'équilibre. Je le rattrapai par la ceinture, l'empêchant de débouler dans l'escalier, mais son épaule heurta lourdement la cloison. Le silence se fit à l'intérieur de l'appartement. Puis on entendit des pas, la porte s'ouvrit en grinçant et un visage apparut dans l'entrebâillement. Même si la porte se referma tout de suite, je ne suis pas près d'oublier cette vision. C'était un visage de vieille femme, creusé et tout plissé, avec des dents jaunies et un regard gris fer.

Nous redescendîmes l'escalier aussi vite que nous le permettaient les jambes de monsieur Waterman. Une fois dehors, je me rappelai les mots utilisés par la fillette du bout de la route, à l'île d'Orléans, quand elle avait décrit l'arrivée en taxi de la vieille femme et du chat noir. En parlant de la vieille, elle avait dit : «Une vraie sorcière!»

14

UNE NUIT D'HORREUR

Pour cause de fatigue, monsieur Waterman remit au lendemain sa visite au chalet. Quant à moi, ne pouvant chasser de mon esprit ce qui était arrivé à ma petite sœur, je passai par la bibliothèque avant de quitter la ville et j'empruntai un volume qui racontait l'histoire de la Grosse-Île.

Famine et Chaloupe m'attendaient sur le perron du chalet. Les plats que j'avais mis à l'abri sous la table à pique-nique avaient été vidés et renversés : les ratons laveurs étaient venus et il y avait eu de la bagarre. Après avoir redonné de la nourriture aux chats, je me fis chauffer un ragoût de boulettes que je commençai à manger tout en tournant les pages de l'étude historique.

Mon livre, intitulé *Les témoins parlent*, contenait des textes, des tableaux et des photos d'époque. Tandis que je le feuilletais pour examiner les photos, mon regard fut attiré par un mot étrange, qui faisait penser à *Méphistophélès*. Comme j'avais largement dépassé cette page, je revins en arrière, cherchant le terme qui m'avait sauté aux yeux. Au bout de quelques instants, je parvins à le trouver : c'était le mot *méphitique*. Je ne le connaissais pas. Le texte se lisait ainsi :

« Les morts sont enterrés dans de longues tranchées où deux ou trois rangs de cercueils sont superposés les uns sur les autres. La couche de terre amoncelée autour de ces cercueils n'est pas toujours suffisamment épaisse pour empêcher que des exhalaisons méphitiques ne s'en élèvent ; il aurait peut-être été prudent d'enfouir ces cercueils à une plus grande profondeur, ou du moins de ne les mettre que sur un rang. On a parlé de répandre de la chaux vive sur ces masses corruptibles, et je ne sache pas qu'on l'ait fait. »

Le ragoût de boulettes menaçait de remonter dans mon estomac, alors je me levai pour faire quelques pas. Dans le solarium, les deux chats étaient assoupis au milieu de mes dictionnaires, le *Harrap's*, le *Webster* et les autres. J'ouvris le *Petit Robert* au mot *méphitique*. Le qualificatif s'employait en parlant d'une « exhalaison toxique et puante ».

En dépit de la pluie légère qui s'était mise à tomber, je sortis prendre l'air, coiffée du bob défraîchi de monsieur Waterman. J'escaladai la côte jusqu'à mi-chemin de la route principale, faisant détaler des écureuils dans la pénombre, puis je revins lentement sur mes pas. Quand j'ouvris la porte du chalet, les chats s'enfuirent dehors à toute vitesse. Je découvris la cause de cette précipitation en entrant dans la cuisine : ils avaient sauté sur la table et dévoré le reste des boulettes de mon ragoût.

Mon estomac s'était remis en place et j'avais faim. Je me fis un sandwich jambon-tomate avec laitue et moutarde. Et du vrai café. La nourriture bio ou granola, ce n'est pas trop mon genre. Quand une mode ou un courant de pensée veut m'imposer une façon d'agir, je fais exactement le contraire ; il se pourrait même que je développe un goût spécial pour le sorbate de potassium et l'érythorbate de sodium.

Comme l'air humide envahissait le chalet, je fis une attisée dans le poêle à bois, ce qui acheva de me calmer. J'avalai mon sandwich et m'installai dans la chaise berçante du solarium pour lire. Il faisait nuit, c'est tout juste si j'apercevais la tache grisâtre de l'étang éclairé par l'ampoule extérieure.

En 1847, les Irlandais avaient connu une terrible famine causée par une pénurie de pommes de terre. Les gens quittaient le pays par milliers. Ils rassemblaient quelques affaires et s'embarquaient sur des voiliers en partance pour l'Amérique. Déjà, ils étaient maigres et fragiles, et nombre d'entre eux avaient la dysenterie. Les plus pauvres se dirigeaient vers le Canada, parce que la traversée coûtait moins cher. Ils voyageaient à bord de navires conçus pour le transport du bois, parqués dans un entrepont où l'air était vicié et les installations sanitaires absentes. Après une traversée qui durait un mois et demi ou deux mois, selon la force des vents, les bateaux mouillaient au large de la Grosse-Île, sur laquelle se trouvait une station de quarantaine. À l'arrivée du premier voilier, cette année-là, une dizaine de passagers étaient morts et plus de cinquante souffraient du typhus. La situation n'avait fait qu'empirer avec les bateaux suivants ; on avait compté des milliers de morts et la Grosse-Île était devenue un cimetière.

C'est à peu près ce que ma mère nous avait raconté quand nous étions petites, ma sœur et moi, un jour que nous lui avions demandé pourquoi elle nous interdisait de laisser le moindre morceau de pomme de terre dans nos assiettes. Avec son caractère excessif, ma mère s'était laissé emporter par son récit. Trop impressionnées, nous n'avions pas voulu en savoir davantage.

Vers onze heures du soir, je m'inquiétai des chats que je n'avais pas revus de toute la soirée. C'était l'heure de les faire entrer et d'aller me coucher. Je me levai pour regarder par le carreau de la porte. Ils ne m'attendaient pas sur le perron. Dans la cuisine, je regardai aussi par la porte arrière, mais ils n'étaient pas là. Après avoir mis une bûche d'érable dans le poêle à bois, où il ne restait que des braises rougeoyantes, je retournai dans le solarium. Je jetai encore un coup d'œil dehors, par acquit de conscience, puis je me remis à lire dans ma chaise berçante en attendant le retour des chats.

Une semaine après l'arrivée des premières victimes du typhus, il y avait une dizaine de bateaux à l'ancre devant la Grosse-Île. Parmi les passagers, environ cinq cents étaient malades, alors que l'hôpital de l'île ne possédait que deux cents lits. À la fin de mai, on comptait mille trois cents malades sur l'île et une cinquantaine de décès par jour. En outre, quarante navires étaient ancrés aux environs, attendant la visite d'un médecin, et les passagers malades ou décédés étaient aussi nombreux que sur l'île. Le personnel ne suffisait plus à la tâche.

Dans mon livre, les témoins décrivaient des scènes horribles. Je voyais des malades croupir dans leurs excréments et personne ne venait les laver. J'en voyais d'autres qui passaient toute la nuit à côté d'un cadavre parce qu'on n'avait plus le temps d'enterrer les morts. Je voyais des enfants sales aux yeux exorbités qui erraient à la recherche de leurs parents. Je voyais un défilé de chaloupes qui partaient des voiliers avec des morts que l'on déposait sur la grève. Partout sur l'île régnait une odeur pestilentielle et l'eau était corrompue.

Ceux qui étaient morts pendant la traversée de l'Atlantique avaient été jetés à la mer. J'avais déjà vu une cérémonie de ce genre au cinéma. Le défunt est placé dans un sac de toile sur un plateau à bascule, près du bastingage. Un aumônier lit un passage de la Bible et, quand le capitaine donne un ordre bref, un marin lève le bout du plateau et on entend deux bruits : le raclement de la toile en jute sur les planches de bois, et un instant plus tard le *plouf* du corps qui tombe à l'eau. J'imagine qu'on ne peut jamais oublier ces deux bruits une fois qu'on les a entendus.

Deux heures du matin. Je m'arrêtai de lire à cause d'une chanson qui me revenait en mémoire. C'est ma mère qui nous la chantait quand elle avait du vague à l'âme. Si je me souviens bien, les mots disaient :

> *Les marins qui meurent en mer*
> *Et que l'on jette au gouffre amer*
> *Comme une pierre*

Avec les chrétiens refroidis
Ne s'en vont pas au paradis
Trouver saint Pierre
Mais ils roulent d'écueil en écueil
Dans l'épouvantable cercueil
Du sac de toile
Et fidèle après leur trépas
Leur âme ne s'envole pas
Dans une étoile.

C'était la chanson la plus triste au monde, elle nous faisait pleurer, ma sœur et moi. Cependant, à force de l'entendre et aussi de me la chanter à moi-même, j'avais fait une découverte rassurante. Si l'âme avait coutume de s'envoler vers une étoile après la mort, cela signifiait qu'elle était essentiellement faite de lumière. Dans chaque individu, même le plus antipathique, il y avait donc une étincelle, une petite flamme qui le rendait unique et précieux.

Pour tout dire, je trouvais réconfortant de penser que ma petite sœur était installée là-haut, dans le ciel, et qu'elle veillait sur moi.

Quand je refermai le livre, il était trois heures et demie du matin. Le poêle était mort, il ne restait même plus de braise, et c'était frais et humide dans le chalet. Sortant par l'arrière, j'allai chercher une brassée de bois dans la grande cabane. La pluie avait cessé, mais il y avait du brouillard. Vu l'heure tardive, je ne fus pas mécontente de voir les chats accourir en miaulant. J'allais enfin pouvoir me coucher et essayer de dormir après cette nuit d'horreur.

15

LE CŒUR D'ANNE HÉBERT

Au matin, les chats m'éveillèrent trop tôt. Après leur avoir servi le petit déjeuner avec des gestes de somnambule, je me recouchai. Cinq minutes plus tard, il fallut que je me relève pour les laisser sortir. Ensuite je me remis au lit et dormis comme une bûche jusque vers midi, quand un bruit me réveilla. Monsieur Waterman était arrivé.

Ce que j'entendais faiblement, en provenance de la cuisine, me fit penser à John Irving, car c'était «le bruit de quelqu'un qui essaie de ne pas faire de bruit», comme dans *Une veuve de papier*. Je sortis de ma chambre pour voir ce qu'il faisait. Penché au-dessus de l'évier, il équeutait un casseau de fraises de jardin. Il mettait les queues dans un sac de plastique et rinçait les fraises dans un plat d'eau. Je compris qu'il s'était abstenu d'ouvrir le robinet afin de me laisser dormir.

— Ça sent bon! dis-je.

— Bonjour, dit-il. C'est moi qui t'ai réveillée?

Au moment où j'allais répondre «mais non, pas du tout», il prit une fraise bien mûre et me la mit doucement dans la bouche. Comme il me regardait avec un air moqueur, je me rendis compte que j'avais la chevelure ébouriffée et que mon t-shirt était un peu court. Je retournai dans la chambre pour m'habiller. Les histoires de sexe, on ne s'en occupait pas, monsieur Waterman et moi. On n'en avait jamais discuté, mais la plupart du temps, il semblait ne pas s'intéresser à cet aspect de ma personne. Je peux dire que ça m'arrangeait.

Pendant que je m'habillais, je constatai avec soulagement que les images obsédantes de ma sœur et des victimes du typhus s'étaient dissipées. Mais une autre image avait pris place dans ma tête : celle de la fille aux poignets bandés. Plusieurs questions me tourmentaient, y compris le rôle que la vieille aux allures de sorcière pouvait jouer dans la vie de cette adolescente.

Je revins dans la cuisine vêtue d'un short kaki et de mon t-shirt préféré, celui qui portait cette phrase d'Armand Gatti en lettres rouges : «La maîtrise des mots est subversion et insolence.» Monsieur Waterman avait préparé du café au percolateur et achevait de faire cuire des œufs au bacon. La table était déjà mise. Ce n'était pas la première fois qu'il s'occupait de moi avec la plus grande gentillesse, mais ce matin-là, il était vraiment très attentionné ; il avait compris que je n'étais pas dans une forme olympique. Quand il fut certain que je ne manquais de rien, il s'assit et mangea avec moi.

Un petit déjeuner aux œufs et au bacon n'était pas ce qui convenait le mieux à sa condition de cardiaque, et cela lui était bien égal. Ayant fait son infarctus alors qu'il avait cessé de fumer depuis un an et qu'il évitait le sucre et les mauvais gras, il cherchait à se venger du destin en prenant le contre-pied des avis médicaux. Il avait également renoncé à ses médicaments pour le cœur, estimant que leur seul effet bénéfique était de grossir le compte en banque du pharmacien. J'avais l'impression, pour ma part, qu'il ne tenait pas beaucoup à la vie depuis son dernier livre.

Après le repas, il fit la vaisselle, refusant mon aide. Ensuite il alla chercher des choses qu'il avait oubliées dans le Coyote. Pendant ce temps, je descendis à la Croisée des murmures. Assise dans l'herbe au fond du terrain, près des rosiers sauvages qui bordaient les deux ruisseaux, je le vis ramener les journaux et quelques volumes. Il posa sa lecture sur la table à pique-nique, le temps de prendre sa fameuse chaise Lafuma dans le chalet, puis il vint s'installer auprès de moi.

Chaque fois que je ne me sentais pas bien, monsieur Waterman arrivait à me réconforter d'une manière indirecte, l'air de rien, sans même demander ce qui n'allait pas.

— As-tu lu ça ? fit-il en se redressant sur sa chaise longue. Il me montrait un livre intitulé *Dialogue sur la traduction*. Je l'avais lu à l'époque où j'étais étudiante : c'était un échange de lettres entre Anne Hébert et une personne qui avait traduit en anglais son poème célèbre, *Le tombeau des rois*.

Je pris le livre qu'il me tendait. Le traducteur, lui-même poète, s'appelait F. R. Scott. Le poème d'Anne Hébert était grave et somptueux, et j'eus le souffle coupé en lisant les premiers vers :

> *J'ai mon cœur au poing*
> *Comme un faucon aveugle*

Éblouie, je fermai les yeux, tête inclinée en arrière. D'un seul coup, j'étais transportée dans la vieille maison du langage, à mi-chemin entre la terre et le ciel. J'ai l'air de divaguer, mais il n'en est rien : je venais d'entrer dans un lieu, un domaine, un univers où j'étais à l'abri des malheurs de ce monde et où, monsieur Waterman et moi, malgré la différence d'âge, nous avions la possibilité de nous rejoindre.

La suite du poème était impressionnante. La beauté et la mort allaient de pair ; les désirs charnels avaient la froideur des tombeaux. Je devinais que le cœur d'Anne Hébert, pour des raisons graves et anciennes, n'était pas libre de ses mouvements.

Monsieur Waterman me demanda si j'avais prêté attention à la fin du poème. Je lus à haute voix :

> *D'où vient donc que cet oiseau frémit*
> *Et tourne vers le matin*
> *Ses prunelles crevées ?*

— Maintenant, regarde la traduction, dit-il.

Frank Scott avait traduit le dernier vers par *Its perforated eyes*. La traduction était fidèle et me convenait. Il avait fait une deuxième version, à peu près équivalente. Et puis une troisième, fort surprenante, qui se terminait par les mots *blinded eyes*. L'oiseau, symbole du cœur, n'avait plus les yeux crevés : il était simplement aveugle. Et même, à supposer que le mot *blinded* avait un sens plus faible que *blind*, on pouvait penser que l'oiseau n'était qu'aveuglé, d'une manière temporaire...

Il me semblait que le traducteur avait de beaucoup adouci l'image employée par Anne Hébert. J'étais un peu scandalisée.

— Il a *corrigé* l'auteure, dis-je.

— On dirait bien. Mais regarde un peu plus loin...

Poursuivant ma lecture, je trouvai bientôt l'explication : selon la tradition de la fauconnerie, le chasseur ne crevait pas les yeux du faucon, mais se contentait de lui mettre un capuchon sur la tête jusqu'à l'instant où il le laissait s'envoler pour qu'il attrape une proie. Peut-être le traducteur croyait-il qu'Anne Hébert ignorait ce détail...

— J'ai une autre hypothèse, dit monsieur Waterman. Elle est un peu farfelue. Tu promets de ne pas rire ?

— Je le jure !

— En plus d'être poète, Frank Scott était professeur. Et il avait quinze ou vingt ans de plus qu'elle. Alors je l'imagine, vieux monsieur avec une barbe blanche, qui prend la belle Anne Hébert par la main pour lui expliquer que l'amour n'est pas dangereux, qu'elle n'a aucune raison d'avoir peur, que son cœur est libre et sans entrave.

— Merci beaucoup, dis-je.

Tendant le bras, je lui remis le livre. Il le coinça entre son menton et sa poitrine et ferma les yeux. On entendait le murmure des deux ruisseaux. Alors, sur la pointe de mes pieds nus, je m'approchai de lui et l'embrassai sur le front. Je voulais le remercier, sachant très bien que son hypothèse était une façon détournée de me rassurer. Il m'avait fait comprendre qu'il partageait mes inquiétudes et que je n'étais pas seule au monde.

16

LA VIEILLE ET LE PISTOLET

Au moment de retourner à Québec, le dimanche soir, monsieur Waterman me fit promettre de ne pas trop m'inquiéter. Il allait surveiller la terrasse de temps en temps et me prévenir aussitôt qu'il verrait quelqu'un. Venant d'un homme qui n'acceptait pas d'être distrait de son travail, cette offre me toucha beaucoup. Et avant de monter dans le Coyote, il eut un drôle de geste : il passa sa main dans ma tignasse rousse et me gratta le cuir chevelu, comme s'il voulait chasser mes idées noires.

Je pus me concentrer sur ma traduction pendant trois jours avec des pauses consacrées à la lecture, à des promenades en compagnie des chats et au nettoyage de l'étang. En arrachant des algues, j'étais consciente que j'extirpais un certain nombre de mauvais souvenirs, si vous voulez le savoir.

Quand le téléphone sonna, tôt le jeudi matin, je devinai que monsieur Waterman avait des nouvelles importantes.

— Je vois la vieille femme, annonça-t-il. Elle est sur la terrasse.

— Seule ? demandai-je.

— Elle est assise dans une chaise de jardin ordinaire et elle lit *Le Soleil*. Il y a une chaise longue à côté d'elle, mais elle est vide. Je veux dire, la vieille est toute seule.

— Vous regardez avec les Swarovski ?

— Oui.

— Qu'est-ce qui se passe ? C'est grave ?

— Je ne sais pas. Sur une table basse, entre les deux chaises, j'ai remarqué dès le début qu'il y avait un sac en papier brun. Et tout à l'heure, en allongeant la main, elle a pris un objet dans le sac...

— C'était quoi ?

Je commençais à m'énerver.

— Un pistolet.

— QUOI ?

— À mon avis, c'est un Beretta. Je dis ça parce que... Je lui coupai la parole.

— On devrait appeler la police ! dis-je. Il faut les avertir qu'un drame se prépare !

— C'est ce que je me suis dit, moi aussi. Et puis, j'ai pensé qu'ils allaient rire de moi.

— Comment ça ?

— Tu imagines le dialogue ? Allô, la police ? J'appelle pour vous dire que je vois une femme avec un pistolet – Est-ce qu'elle menace quelqu'un avec son arme ? – Non, elle est toute seule, assise dans une chaise de jardin. – Pourriez-vous me décrire ce qu'elle fait exactement ? – Elle a examiné le pistolet, ensuite elle l'a remis dans un sac en papier brun. – Diriez-vous qu'elle semble triste ou déprimée ? – Non, elle lit le journal.

Monsieur Waterman avait raison. Il fallait trouver une autre solution.

— J'ai une idée, dis-je. Je vais téléphoner à monsieur Milhomme.

— Qui ?

— Le détective privé qui m'a déniché l'adresse de la fille. Je vais lui demander son avis.

— Très bonne idée. Tu me rappelleras ?

— Bien sûr.

Je savais que sa journée d'écriture était fichue, et j'en étais désolée, mais je n'ai pas trouvé les mots pour le dire. Tel que je le connaissais, il allait faire les cent pas entre sa planche à repasser et la porte-fenêtre du séjour, pour regarder si la vieille était toujours là. Et au lieu d'écrire son histoire, qui n'avançait qu'au rythme d'une demi-page par jour – ce qui faisait de lui l'écrivain le plus lent de Québec –, il allait perdre son temps à inventer des dialogues interminables entre lui et la vieille femme ou un policier imaginaire. Chaque fois qu'on le dérangeait, il réagissait de cette manière : c'est lui qui me l'avait raconté. J'aurais dû lui témoigner un peu de sympathie au lieu de raccrocher sèchement.

Le détective avait une mémoire d'éléphant. Il reconnut ma voix au téléphone, je n'eus pas besoin de me nommer. Je lui fis le récit de tout ce qui s'était passé depuis qu'il avait trouvé l'adresse de la fille. Pour finir, je parlai de la vieille et du pistolet. Il posa les mêmes questions que le policier imaginaire de monsieur Waterman. C'est normal, puisqu'il avait lui-même travaillé dans la police.

À ma place, le détective aurait essayé de savoir s'il existait un lien de parenté entre la vieille et la jeune fille. Une bonne méthode, c'était de prendre une photo de la vieille au moyen d'un téléobjectif et de montrer le cliché aux commerçants du quartier. Il ne fallait pas dire : « Connaissez-vous cette femme ? » mais plutôt : « Je travaille pour une compagnie d'assurances, cette femme vient d'avoir un héritage, est-ce que vous l'auriez déjà vue par ici ? » Si la réponse était affirmative, on pouvait poser des questions plus précises : est-ce qu'elle travaillait ? est-ce qu'elle avait des enfants ? etc.

Nous n'avions pas ce type d'appareil photo, monsieur Waterman et moi. Comment faire pour en obtenir un ? J'avais déjà ma petite idée, elle m'était venue tandis que j'écoutais les conseils du détective. Cependant, une mise en scène était nécessaire, et j'hésitais. Et tout à coup, je me rappelai mon mot d'ordre préféré : *En cas de doute, fonce tête baissée !*

D'abord, je pris une douche en utilisant avec générosité un savon plus parfumé que mon Irish Spring habituel. Je me brossai les cheveux pour leur donner du volume, et je les laissai flotter dans mon dos. Ensuite, j'enfilai mon unique minijupe ainsi qu'un débardeur très serré qui laissait voir mon nombril. Quand je sortis du chalet pour monter dans la Jeep, les deux chats, allongés parmi les dictionnaires sur la table du solarium, me regardaient comme si j'étais une étrangère.

Le détective Milhomme habitait à Beauport, rue Corbin. Même si je n'étais pas retournée chez lui depuis l'époque de mes fugues, je n'eus aucun mal à retrouver sa maison. En feuilletant de vieux magazines, dans la salle d'attente, je tombai sur une interview que monsieur Waterman avait accordée lors de la publication de son premier roman. C'était une interview traditionnelle, telle que je les aimais, avec une typographie différente pour les questions et les réponses. Un grand nombre de parenthèses et de points de suspension marquaient les hésitations, les silences et tout ce qui relevait de l'expression corporelle.

J'étais plongée dans cette lecture lorsque le détective me pria d'entrer. Tandis que je refermais la porte de son bureau avant de m'installer dans le fauteuil des visiteurs, je sentis son regard qui s'insinuait dans l'échancrure latérale de mon débardeur, glissait doucement sur l'arrière de mes cuisses et sur mes mollets. Sans me dépêcher et avec un léger balancement des hanches qui me faisait penser à la démarche de la vieille Chaloupe, j'allai m'asseoir en face de lui, les genoux croisés très haut. C'est une arme secrète que j'utilise, comme toutes les filles, mais seulement en cas d'urgence.

Bien que je ne possède pas les jambes interminables de Maria Sharapova, la tenniswoman russe, il me fut très facile d'obtenir du détective qu'il me prête son appareil photo muni d'un téléobjectif. Après avoir juré sur la tête de ma mère d'en prendre soin et de le rapporter dans les jours suivants, je quittai son bureau en balançant mes hanches une dernière fois, autant pour le remercier que pour mon propre plaisir.

17

UN REFUGE EN HAUTE MONTAGNE

Monsieur Waterman prenait soin de moi et s'efforçait d'apaiser mes inquiétudes. En retour, j'essayais au moins de ne pas interrompre son travail. Ainsi, pour lui remettre l'appareil photo, j'attendis jusqu'au milieu de l'après-midi : en général, il allait marcher dans le quartier vers quinze heures trente. Quand j'arrivai chez lui, ce jour-là, il était déjà sorti. Je confiai l'appareil à la gardienne de l'immeuble avec un mot d'explication.

De retour à l'île, je changeai de vêtements et, bien calée sur le divan-lit du solarium, je repris l'interview que j'avais commencé à lire dans la salle d'attente du détective – j'avais piqué le magazine en sortant de son bureau.

Dès le début, monsieur Waterman était sur ses gardes. S'il acceptait de répondre aux questions, c'était uniquement parce que son éditeur lui avait tordu le bras ; il aurait préféré ne pas s'immiscer entre le lecteur et le livre. En fait, il refusait de raconter sa vie. Son enfance, en particulier, constituait un domaine secret et une source d'inspiration qu'il n'avait pas envie de partager avec tout le monde. L'idée qu'il pouvait devenir un homme connu lui faisait horreur. La seule fois où il s'était prêté à une séance de signatures, il avait eu le sentiment très net de s'être montré prétentieux et ridicule. Il préférait rester dans l'ombre. Selon lui, les médias se plaisaient à mettre les gens sur un piédestal afin d'avoir une meilleure chance de les descendre à la première occasion. Il était légèrement parano, si je peux me permettre.

L'interviewer s'était rabattu sur les questions classiques :

Q. Pourquoi écrivez-vous ?

R. *Pour voir mon nom dans le journal.*

Q. Vous n'êtes pas poussé par un besoin irrépressible ?

R. (Sourire amusé.) *Non.*

Q. Vous ne voulez pas changer le monde ?

R. *Non.* (Il lève les yeux au ciel.)

Q. Quelles sont vos habitudes de travail ?

R. *J'écris trois heures le matin. Je mange et j'écris encore deux heures l'après-midi.*

Q. L'inspiration vient facilement ?

R. (Soupirs.) *Non, mais je reste sur place et j'attends. À la longue, les mots arrivent. Il y a un rythme qui s'établit au bout d'un moment. Et si on tient le coup pendant une année, on a un premier brouillon.*

Q. Qu'est-ce qui vous nuit le plus ?

R. *Mes propres limites intellectuelles... mais aussi les voisins.* (Il fronce les sourcils.) *Les maudits voisins ! En ville, le bruit de la télé ! En banlieue, les tondeuses ! À la campagne, les tracteurs !*

Q. Heureusement qu'il y a les bouchons d'oreilles...

R. *Oui. C'est l'invention du siècle!* (Rires.)

Q. Qu'est-ce qui vous aide, à part ça?

R. (Long silence.) *Les chagrins d'amour.* (Il tousse.) *Ça rend l'âme plus sensible et on voit les choses d'une manière plus personnelle.*

Q. La manière de voir, c'est important?

R. *C'est essentiel!* (Il hausse le ton.) *C'est la condition indispensable pour avoir un style. Je dis* un *style, pas* du *style!*

Q. Il y a une différence?

R. *Une différence?... C'est le jour et la nuit!* (Il s'emporte.) *On a du style quand on écrit bien, c'est-à-dire quand on se conforme à un modèle! Avoir* un *style, c'est le contraire : on écrit à sa manière, sans tenir compte des règles!*

Moi qui n'aimais pas les règles, je constatais avec plaisir que monsieur Waterman entendait lui aussi n'en faire qu'à sa tête. Avant de lire la suite, je mis le nez à la fenêtre pour voir si les chats voulaient entrer. Ils se trouvaient tous deux au milieu de la côte, à l'endroit où le renard s'était assis, et il y avait quelqu'un avec eux. De nouveau, je reconnus la mince silhouette et les tresses obliques de la petite fille du bout de la route. Elle venait voir les chats de temps en temps. D'après ses gestes, elle était en train de leur raconter une histoire.

Dans l'interview, monsieur Waterman devenait impatient. Il déclarait sur un ton péremptoire que si, au XIXᵉ siècle, le romancier tenait lieu de psychologue et de sociologue, il n'était plus acceptable d'écrire de la même façon à notre époque. Les peintures de l'âme humaine et de la société étaient dépassées et il fallait trouver de nouvelles sources d'inspiration.

Sur quoi donc devait se baser le roman contemporain ? demandait l'interviewer. Sur les ressources infinies du langage ! répondait monsieur Waterman d'une voix exaltée. Et il se lançait dans une longue tirade qui faisait l'éloge de la langue et se terminait par une citation qu'il eut beaucoup de mal à retrouver dans son carnet de notes tout sale et couvert de ratures :

« Car bien souvent les exilés n'emportent pas de terre aux semelles de leurs souliers ; ils n'emportent rien d'autre qu'un nuage de poussière dorée et dansante qui nimbera tous les êtres, toutes les choses, tous les paysages sur lesquels se poseront leurs regards, s'attarderont leurs caresses ; et ce poudroiement infime, impalpable, fait de cendres mortes et de pollen fécond, s'appelle la langue. »

Il précisa que ce texte était de Sylvie Durastanti, et je fus heureuse d'apprendre qu'il s'agissait d'une traductrice. Du même souffle, il citait la fameuse phrase de Heidegger : « Le langage est la maison de l'être. » Se fondant sur cet énoncé, il échafaudait une théorie du roman que je n'étais pas sûre de bien saisir. Il voyait le roman comme une maison bâtie avec les matériaux du passé (les *cendres mortes*) et ceux du futur (le *pollen fécond*). Pour la construire, l'outil principal était évidemment le style.

Dehors, la fillette du bout de la route était partie. Après avoir fait entrer les deux chats, je revins à l'entretien, où le mot *maison* avait accroché mon œil. Poussé par les questions de l'interviewer, monsieur Waterman disait que, pour lui, *maison* signifiait abri, refuge. Par déformation professionnelle, j'eus le réflexe de consulter le *Petit Robert*. Je fis des excuses et quelques caresses à la vieille Chaloupe qui, comme d'habitude, s'appuyait la tête contre ce dictionnaire. Au mot *refuge*, je trouvai la description suivante : «Petite construction en haute montagne, où les alpinistes peuvent passer la nuit.»

C'était à mon avis la meilleure définition du roman.

18

LA CAISSE ENREGISTREUSE

Monsieur Waterman avait une photo de la vieille femme dans sa poche et nous marchions en silence. Le temps était lourd, on annonçait de la pluie et peut-être de l'orage. Nous arrivions chez l'épicier, au coin de Richelieu et Sainte-Marie.

La photo avait un *flou artistique*, mais ce n'était pas la faute de l'écrivain. Au début de la semaine, le détective Milhomme m'avait rappelée pour me dire qu'avec un téléobjectif, la plupart des gens utilisaient un trépied. À défaut de celui-ci, il nous conseillait d'appuyer l'appareil à un cadre de fenêtre, comme lui-même le faisait pour photographier dans son auto. Quand j'avais transmis ce renseignement à monsieur Waterman, c'était trop tard : la vieille avait réapparu sur la terrasse, il avait pris une série de photos et le film était rendu à l'atelier de développement.

Pour notre enquête de voisinage, il ne fallait avoir l'air ni de voyous, ni de policiers en civil. Comme nos vêtements nous rangeaient plutôt dans la première catégorie, nous étions allés au Village des Valeurs de la Canardière. Nous avions trouvé, pour lui, un pantalon gris et un polo bleu pâle, et pour moi, une chemise blanche à manches courtes et une longue jupe bleu marine. Le tout pour moins de dix dollars chacun. Nos cabines d'essayage étaient contiguës, et j'avais été surprise d'apprendre, au milieu de nos fous rires, que monsieur Waterman, dont la réputation était pourtant établie, n'avait dans sa garde-robe que des jeans et des t-shirts. Sans doute était-ce pour cette raison qu'il refusait de participer à quelque cérémonie que ce soit, faisant sienne cette déclaration d'Ernest Hemingway : « J'espère n'avoir jamais à m'habiller plus cérémonieusement qu'en enfilant des sous-vêtements. »

Les commerces étaient rares dans le quartier de la vieille femme, si on ne tenait pas compte de ceux qui avaient pignon sur la rue Saint-Jean. On trouvait bien un garage Auto Place dans la rue d'Aiguillon, non loin de la Tour du Faubourg, mais la vieille ne pouvait être connue à cet endroit, car elle n'avait pas d'auto – elle avait pris un taxi pour emmener le chat noir à l'île. Nous n'avions finalement le choix qu'entre les trois ou quatre dépanneurs des environs (je préférais les appeler *épiciers du coin* puisqu'ils étaient ordinairement situés à l'angle de deux rues).

Donc, nous arrivions à l'épicerie la plus proche de l'immeuble où habitaient la vieille et la très jeune fille. Monsieur Waterman poussa la porte et me laissa passer devant lui. L'épicier se tenait derrière son comptoir. J'eus le temps de voir que l'homme avait un gros ventre et qu'une caméra de surveillance était accrochée au plafond. Il y avait une file de trois personnes à la caisse. Comme prévu dans notre plan, nous enfilâmes la première allée pour acheter des conserves : une boîte de thon pâle en morceaux, du ketchup aux fruits Habitant, de la soupe Lipton nouilles et poulet, et aussi le *Journal de Québec*.

Pendant que nous attendions dans la file avec nos provisions, une femme entra avec un bébé dans les bras. Elle n'achetait qu'un paquet de couches Pampers et je l'invitai à passer devant nous. Quand notre tour arriva, monsieur Waterman posa la photo de la vieille sur le comptoir en même temps que nos achats ; nous voulions juste piquer la curiosité de l'épicier et voir sa réaction. Le gros homme avait des lunettes qui lui tombaient sur le bout du nez, un tatouage de sirène aux seins nus sur un bras, et on voyait qu'il portait une perruque. Il jeta un coup d'œil à la photo par-dessus ses lunettes, puis enregistra nos achats sur sa caisse sans dire un mot. C'était une caisse à l'ancienne, très massive, peut-être en laiton, mais je n'y connais rien ; le montant des achats s'affichait dans une fenêtre occupant toute la partie supérieure, et un timbre clair accompagnait l'ouverture du tiroir.

L'épicier rangea nos provisions dans un sac en plastique. Monsieur Waterman paya les achats. Après avoir recueilli sa monnaie, il mit la photo directement sous le nez du gros homme.

— Connaissez-vous cette femme ? demanda-t-il.

Je lui donnai un petit coup de coude dans les côtes : c'était justement la question que le détective avait dit de ne pas poser ! L'épicier examina le cliché en fronçant les sourcils. Il haussa les épaules et ne répondit pas. On pouvait croire que son magasin était envahi par des gens qui n'arrêtaient pas de lui mettre des photos sous le nez et qu'il commençait à en avoir ras le bol. Je n'aimais pas son attitude : les gens qui portent une perruque, j'ai toujours l'impression qu'ils manquent de franchise.

Monsieur Waterman insista :

— C'est une de vos clientes.

— *So what ?* fit-il.

— Elle habite à côté. Vous devez la voir de temps en temps : une petite vieille, maigre comme un clou...

— En quoi ça vous regarde ?

— Je suis son voisin. On la cherche parce qu'elle a gagné à la loto et elle a disparu.

— Elle vous a confié le billet ?

— Non, mais...

Monsieur Waterman se tourna vers moi. Il ne pouvait s'empêcher de sourire : notre plan commençait à bien fonctionner. C'était à mon tour d'intervenir, et je pris ma voix la plus douce :

— On n'a pas le billet parce que notre voisine l'a gardé avec elle. C'est normal, elle ne voulait pas qu'une autre personne réclame l'argent à sa place. Mais elle a transcrit le numéro sur un carton d'allumettes. Une petite minute...

J'ouvris le sac à main que j'avais préparé avant de partir du chalet. Pour faire durer le suspense, je fouillai longuement dans le fond du sac, faisant cliqueter mon trousseau de clés, mes stylos et tout le bataclan. Quand je sortis enfin le carton, écorné et défraîchi, monsieur Waterman commençait à me regarder de travers.

L'épicier prit le morceau de carton entre le pouce et l'index, remonta ses lunettes et l'examina d'un air soupçonneux. Il se gratta l'oreille, près de l'endroit où ses favoris étaient plus foncés que la perruque, puis il fit exactement ce que nous espérions : il sortit le *Journal de Québec* de notre sac en plastique et se mit à le feuilleter. Quand il eut trouvé la page des gagnants de la loto, il mit le doigt sur un numéro de la liste et vérifia les chiffres inscrits sur le bout de carton.

— C'est le même numéro, conclut-il.

— Bien sûr, dit monsieur Waterman.

— J'espère que vous allez retrouver la petite vieille, dit l'épicier. Comment elle s'appelle, déjà ? Ah oui, madame Lavigueur.

— Vous l'avez vue dernièrement ?

— Pas depuis trois jours.

Cette dernière réponse ne venait pas de l'épicier, mais d'une personne que nous n'avions pas aperçue jusque-là. Une petite femme maigre, à l'air sévère, qui se tenait dans l'encadrement d'une porte, derrière le gros homme. Elle était appuyée sur un balai et nous regardait avec curiosité. Comme ses yeux s'attardaient sur moi, je lui demandai :

— La dernière fois, elle était comment ?

— Fatiguée. Je savais qu'elle était malade... Elle a raconté qu'elle partait en voyage, mais c'était pas difficile de comprendre ce qu'elle voulait dire.

L'épicier avait les bras croisés. C'était sa femme et il la laissait parler.

— Elle était seule ? demandai-je.

— Oui.

— L'avez-vous déjà vue avec une fille, une très jeune fille ?

Ma voix tremblait un peu, en dépit de mes efforts, parce que je pensais à ma sœur.

— La petite Limoilou ? fit-elle. L'année passée, elle venait toute seule. Je m'en souviens parce qu'elle avait un chandail gris à capuchon. Elle traînait un petit chat noir dans son dos et c'était drôle de le voir quand il sortait sa tête du capuchon et mettait ses pattes sur son épaule.

— Et cette année... ?

— Cette année, elle est venue plusieurs fois avec la vieille femme et on n'aimait pas beaucoup ça.

— Pourquoi ?

Elle haussa les épaules.

— Cette vieille, on n'a jamais eu confiance en elle. Moi, en tout cas, j'aurais voulu que la petite se méfie.

— D'après vous, elle est en danger ?

— Elle a quinze ans, à peu près, c'est encore une petite fille...

La femme ne termina pas sa phrase et donna un vigoureux coup de balai à des ordures qui traînaient sur le plancher.

Monsieur Waterman risqua une autre question :

— Chère madame, dit-il respectueusement, la dernière fois que vous avez vu la vieille femme, je veux dire madame Lavigueur, vous dites qu'elle parlait d'un voyage ?

— Ce que j'ai compris, monsieur, c'est qu'elle avait une maladie grave, peut-être un cancer, et qu'il n'y avait plus rien à faire : c'était trop tard.

Elle se tut.

Le gros épicier appuya sur une touche de la caisse enregistreuse. Le tiroir s'ouvrit avec un bruit de clochette qui sonna haut et clair, tandis que l'inscription *NO SALE* apparaissait dans la fenêtre du haut.

L'entretien était terminé.

19

MON ONCLE DU CONNECTICUT

Je devenais un peu zouave.

Moi qui avais toujours été une nomade, moi qui faisais tout ce qui me passait par la tête, qui avais déjà pris le premier avion pour n'importe où, qui ne m'attachais à rien ni à personne, voilà que je me faisais un énorme souci pour les gens et les bêtes vivant autour de moi.

Un soir après le souper, au moment où je sortais pour cueillir des framboises au bord du chemin, j'entendis le bruit d'une respiration haletante. Une sorte de souffle asthmatique. Chaloupe, qui avait déjà le nez dans la moustiquaire, se mit à gronder, le poil hérissé comme un porc-épic. En levant les yeux, j'aperçus un chevreuil qui descendait la côte.

Le chat noir vint nous rejoindre. Je les pris dans mes bras, lui et la vieille chatte, et les plaçai sur une chaise en face de la fenêtre. Les grondements de Chaloupe se muèrent en une plainte gutturale, et alors le petit chat, les oreilles couchées, sauta à terre et alla se blottir derrière le divan-lit du solarium.

Ce n'était pas un chevreuil, mais une biche. Elle se trouvait déjà au milieu de la côte. Élégante et mince, juchée sur de longues pattes, elle descendait vers nous, l'air effarouché. Elle avançait en croisant les chevilles à la manière des *top models* qui ondulent des hanches dans les défilés de mode.

À quelques mètres de l'endroit où ma Jeep était garée, elle fit un écart à droite, sauta le fossé, et je vis sa courte queue blanche s'agiter un instant dans le sentier menant au pied de la falaise. Je sortis à toute vitesse avec la chatte pour regarder dans cette direction, mais elle avait disparu.

Depuis ce jour, pour quelque mystérieuse raison, je voulais la revoir à tout prix. Je descendais le sentier raviné où je l'avais perdue de vue. Au bas de la falaise, je parcourais le champ d'avoine en prenant soin de ne pas écraser les tiges blondes, de plus en plus hautes chaque semaine. Je fus en partie rassurée le jour où je découvris, à l'autre bout du champ, un assez grand *ravage* de chevreuils – un espace de vingt-cinq mètres carrés où l'avoine était rabattue au sol. Si c'était là que la biche dormait, au moins elle n'était pas toute seule.

Avant de remonter au chalet, je fis un détour par l'enclos des chevaux de course à la retraite. Je me disais que la biche n'aurait aucun mal à sauter par-dessus la clôture électrique, vu l'aisance avec laquelle elle avait enjambé le fossé en quittant le chemin de terre. Les chevaux vinrent à ma rencontre et je me dépêchai d'entrer avant qu'ils ne prennent un choc. Je leur racontai ce qui se passait. Ils m'écoutèrent patiemment et hochèrent la tête en secouant leur crinière comme pour affirmer qu'ils comprenaient très bien la situation et que si, d'aventure, la biche ou l'un de ses compagnons sautait dans l'enclos afin de brouter un peu d'herbe avec eux, ils seraient accueillis avec cordialité.

Autre signe que j'étais zouave : en remontant vers le chalet, je me mis à parler aux bouleaux. Il y en avait une dizaine en bordure du sentier. Plutôt mal en point, ils se tenaient serrés les uns sur les autres : on aurait dit qu'ils avaient besoin de se défendre contre l'envahissement des érables et des frênes. Leurs racines poussaient à fleur de terre et s'accrochaient péniblement aux rochers de la falaise. Ils menaient une vie difficile, et je leur expliquai que ma vie, à moi aussi, devenait compliquée, que je perdais mon indépendance et que je me sentais vulnérable comme eux.

Au chalet, me rendant compte que j'avais le cerveau un peu dérangé, j'eus envie de discuter avec monsieur Waterman. Je parlais à ma mère, à ma grand-mère, aux chats, aux chevaux, à presque tous les êtres vivants qui peuplaient mon paradis terrestre, c'était la moindre des choses que je parle à mon meilleur ami. J'avais la main sur le combiné, quand tout à coup la peur de déranger arrêta mon geste. Réflexion faite, il valait mieux lui écrire : il aurait du même coup une enveloppe de plus pour noter ses mots et ses bouts de phrases.

Je commençai ma lettre en lui parlant de la biche que j'avais aperçue dans la côte. Dès les premiers mots, toutefois – je ne sais trop comment le dire – il se produisit une sorte de dérapage ; les mots ont probablement leur propre logique. En essayant de décrire la biche, les termes que j'utilisais me faisaient penser à la jeune fille aux poignets bandés. Et, à son tour, l'image de la fille me rappelait la disparition de ma sœur.

J'éprouvais vis-à-vis de ma petite sœur un sentiment de culpabilité d'autant plus vif que, contrairement à moi, elle était venue à mon secours dans un moment critique de ma vie. Alors je décidai de raconter cette histoire à monsieur Waterman. C'était la première fois que j'en parlais à quelqu'un, et je fis un effort pour trouver les mots justes et ne pas déraper.

J'avais douze ans. À cette époque, nous n'avions pas encore déménagé à Québec (dans le quartier du Cap-Blanc où vivaient un grand nombre de familles irlandaises). Nous habitions une maison en briques de deux étages, au bord d'une rivière, dans un village tranquille des Cantons-de-l'Est. C'étaient les vacances de Noël et, comme d'habitude, la maison était envahie par une demi-douzaine d'oncles et de tantes, certains venant des États-Unis. Ils aidaient ma mère à faire la cuisine, ils étaient drôles et aimaient boire un coup. Le soir, ils jouaient aux cartes ou bien au Monopoly, ou encore ils se groupaient autour du piano pour chanter *When Irish Eyes are Smiling* et d'autres vieilles ballades irlandaises.

Mais le matin de Noël, je n'avais pas le goût de rire. En me levant, j'avais trouvé mon chat étendu sous le sapin, sans vie et tout raide, au milieu des cadeaux que nous avions déballés la veille, après la messe de minuit. Peut-être avait-il mangé une des tartines de mort-aux-rats que ma mère plaçait à certains endroits de la cave pour éliminer les rongeurs. Comme il était encore petit, je l'avais mis dans une boîte à chaussures en attendant d'avoir une idée pour les funérailles. Dans l'après-midi, j'avais temporairement oublié mon chagrin en jouant au hockey sur la rivière gelée avec des amis.

La nuit suivante, pendant que je dormais, quelqu'un est entré dans la chambre que je partageais avec ma sœur. Quand je m'en suis rendu compte, il s'allongeait à côté de moi dans mon lit. C'était un de mes oncles, celui qui venait du Connecticut et cherchait toujours à nous impressionner; par exemple, il affirmait que l'Amérique avait été découverte par un de nos compatriotes, le moine Brendan, quatre siècles avant les Vikings, et une éternité avant Christophe Colomb.

En chuchotant pour ne pas réveiller ma sœur, mon oncle me disait que je n'avais rien à craindre: il voulait seulement me consoler de la perte de mon chat. Il était gros, il avait une haleine de bière et ses mains n'arrêtaient pas de fureter dans le pantalon de mon pyjama.

Soudain, ma sœur s'est mise à crier. Ma mère est accourue. Il y eut une scène ponctuée de cris et de gifles. Le lendemain matin, l'oncle est reparti avec sa femme pour le Connecticut. Le nom de cet État me fait toujours penser au claquement d'une paire de ciseaux. À cause de la dernière syllabe.

20

MA SŒUR ET LES AUTRES ÉTOILES

J'avais un pressentiment.

Quelque chose me disait que l'histoire amorcée par l'arrivée du chat noir était sur le point de connaître son dénouement. C'est pourquoi, en plein milieu de la semaine, je quittai le chalet pour me rendre à la Tour du Faubourg. Je sentais le besoin de me rapprocher de monsieur Waterman : à deux, il serait plus facile de résoudre les problèmes qui s'annonçaient.

Avant de partir, je laissai plusieurs bols d'eau et de croquettes aux deux chats, et, cette fois, je confiai une clé du chalet à la petite fille du bout de la route. Elle accepta d'aller leur tenir compagnie et de les faire sortir si je n'étais pas revenue le samedi matin – nous étions le mercredi soir.

Il n'y eut pas de réponse quand je sonnai à l'appartement de monsieur Waterman, alors j'allai l'attendre comme d'habitude au cimetière de l'église St. Matthew. Assise dans mon coin préféré, je fis à ma mère le récit de tout ce qui s'était passé depuis ma dernière visite chez elle. Je dis *chez elle* parce que, en dépit du fait que le vieux cimetière avait été transformé en parc et qu'on y voyait des promeneurs, des liseurs et des flâneurs, il était demeuré dans mon esprit une propriété familiale.

L'automne n'était pas loin et je notai que les feuilles des grands chênes commençaient à roussir. Pendant une minute ou deux, j'entendis un oiseau dont le chant m'était inconnu. Il se tut et, dans le ciel de plus en plus sombre, apparurent les premières étoiles. La plus brillante se trouvait au nord-ouest, je la voyais à travers les branches, à gauche de la tour où habitait monsieur Waterman. Ce n'était pas vraiment une étoile, mais la planète connue de tout le monde, Vénus. Pour mieux la voir, je me levai et m'approchai du muret qui longeait le trottoir de la rue Saint-Jean. Juste à côté d'elle, comme tapie dans son ombre, il y avait une petite étoile que j'aimais beaucoup et que personne d'autre ne semblait voir. À l'île d'Orléans, il me suffisait de lever les yeux pour la contempler, mais là dans le faubourg, aveuglée par la lumière des lampadaires, je la cherchai en vain. Si vous voulez le savoir, c'est dans cette étoile, près de Vénus, que l'âme de ma sœur avait trouvé refuge.

Monsieur Waterman passait devant moi sur le trottoir, portant un sac d'épicerie, et je lui fis un signe de la main. Son visage tendu s'éclaira d'un bref sourire quand il m'aperçut, mais il avait les traits tirés. De toute évidence, son travail n'allait pas bien, et je pouvais facilement deviner la raison de ses difficultés.

Chez lui, il me confirma qu'il n'arrivait plus à écrire. Il passait son temps à vérifier s'il y avait quelqu'un sur la terrasse. Et il imaginait de longs dialogues entre lui et une des personnes que nous avions rencontrées depuis le début de cette histoire, ou bien entre lui et son éditeur qui s'inquiétait de ne pas recevoir son manuscrit.

Tout en préparant du café, il me raconta que, la nuit précédente, il avait rêvé au roman qu'il écrivait; soudainement, il s'était réveillé parce qu'une phrase très complexe lui était venue en tête. Le genre de phrases qu'il aurait mis des heures à construire pendant la journée. Elle était très élégante, elle coulait en ondulant comme une rivière dans la plaine. Sans allumer la lumière, il s'était levé pour la noter sur une enveloppe. Et, en jetant un coup d'œil par la fenêtre avant de se recoucher, il avait vu deux ombres quitter la terrasse.

La nuit avait été mauvaise, il s'était levé plusieurs fois pour regarder si les ombres étaient revenues. Je lui offris de rester jusqu'au matin et de surveiller la terrasse pendant qu'il dormirait. Dès que j'apercevrais quelqu'un, je le réveillerais, c'était promis. Après s'être inquiété de mes chats, puis de l'effet du manque de sommeil sur mon humeur, il accepta ma proposition et se coucha très tôt.

Tandis qu'il dormait, je m'installai dans le séjour, près de la porte-fenêtre, allongée avec un livre sur sa chaise Lafuma – elle était si confortable, avec son système multi-positions, qu'il en gardait une chez lui, une au chalet et une troisième dans le Coyote pour les occasions où il devait se rendre chez quelqu'un; ces occasions étaient rares, il n'avait plus d'amis, c'est ce qui arrive quand vous vivez dans un monde imaginaire.

Je lisais un roman que j'avais trouvé sur la table du séjour, encombrée de journaux, de volumes (parfois entrouverts et posés à cheval sur la tranche) et d'enveloppes couvertes de griffonnages. Mon livre s'appelait *La beauté des loutres*, d'Hubert Mingarelli, un roman que monsieur Waterman venait de lire et dont il m'avait vanté l'écriture. En l'ouvrant, j'avais d'ailleurs trouvé une enveloppe servant de marque-page, sur laquelle il avait noté que l'on comprenait mieux en quoi consistait le style si on le comparait au vol des oiseaux : par exemple, la buse planait haut dans le ciel, tandis que le chardonneret avait un vol *sinusoïdal* – c'est le mot qu'il employait, je le jure.

Le roman était composé de courts chapitres. À la fin de chacun d'eux, je regardais par la porte-fenêtre et, en cas de doute, j'allais voir sur le balcon. Pour l'instant, la terrasse était déserte. Les lumières de la basse-ville traçaient des lignes droites ou brisées qui fuyaient vers les Laurentides. Dans le ciel, tout près de Vénus, la petite étoile de ma sœur était visible et j'avais même l'impression qu'elle clignotait.

Plus tard, je commençai à cogner des clous. En passant devant la chambre de monsieur Waterman pour refaire du café, je notai par la porte grande ouverte qu'il était couché en chien de fusil, la tête tournée vers la fenêtre. De son lit, en s'appuyant sur un coude, il pouvait voir la terrasse très facilement, car sa fenêtre allait presque jusqu'au sol. Pour l'instant, il dormait ; sa respiration profonde était entrecoupée de sifflements.

Mingarelli avait une écriture plus dépouillée que tout ce que j'avais lu dans ma vie. Son livre racontait une histoire toute simple : une nuit d'hiver, deux hommes dans un camion allaient livrer un chargement de moutons sur l'autre versant d'une montagne. C'était la première fois que je lisais en présence d'une personne endormie et j'avais presque le sentiment de commettre une indiscrétion. Je lisais lentement et, de temps en temps, pour mieux résister au sommeil, je m'obligeais à traduire une phrase dans ma tête.

Je terminai ma lecture vers quatre heures du matin. En me mettant debout pour m'étirer les muscles, j'aperçus brusquement, sur la terrasse, les ombres dont monsieur Waterman avait parlé. Très énervée, je sortis sur le balcon avec les jumelles. Les ombres n'étaient visibles que par intermittence, quand elles se trouvaient à proximité d'un puits de lumière qui éclairait un coin de la toiture.

Je distinguais deux silhouettes, une grande et une petite. Elles s'approchaient l'une de l'autre, gesticulaient, se séparaient et se rejoignaient de nouveau. C'était une nuit sans lune et, à certains moments, je les perdais dans l'obscurité. Il fallait réveiller monsieur Waterman.

J'entrai dans la chambre. Il avait l'air de dormir profondément, mais dès que je lui touchai l'épaule, il poussa un cri sourd et se redressa, les yeux ronds et l'air égaré. Je lui dis que ce n'était rien, que les ombres étaient arrivées et que je le prévenais comme convenu. Il s'assit dans le lit et, gardant les couvertures sur lui, posa ses pieds par terre.

Je lui passai les jumelles.

— C'est la vieille femme avec la petite, dit-il immédiatement.

— Oui, dis-je.

— Ça discute fort, on dirait.

La fenêtre de la chambre était divisée en deux sections ; la partie du haut comportait un carreau à guillotine. J'ouvris celui-ci pour que nous puissions entendre le bruit des voix, mais on ne percevait que la faible rumeur de la ville endormie.

Monsieur Waterman continuait de regarder avec les Swarovski. D'après lui, il ne s'agissait pas vraiment d'une discussion. La vieille était la seule à parler, elle gesticulait beaucoup et la petite ne faisait que reculer, les mains tendues devant elle. Il me remit les jumelles en me demandant si je voyais la même chose que lui et si je croyais que l'une des deux avait un pistolet. Comme la fenêtre n'était pas très propre, je regardai par le carreau ouvert, mais j'eus tout juste le temps de voir les deux silhouettes s'engouffrer dans le puits de lumière et disparaître.

— Elles sont parties, dis-je, en posant les jumelles sur la table de chevet.

Monsieur Waterman s'allongea de nouveau dans le lit.

— Quelle heure est-il ?

— Cinq heures moins vingt. Voulez-vous dormir encore un peu ?

— C'est à mon tour de surveiller la terrasse, dit-il.

— Mais non, dis-je. Avec tout le café que j'ai bu, je ne pourrais pas dormir de toute façon.

— D'accord. Mais tu peux rester avec moi si tu veux.

Me tournant le dos, il se remit en chien de fusil. Une minute plus tard, il repoussa les draps et se leva en marmonnant qu'il devait aller aux toilettes. Au dernier moment, je ne résistai pas à l'envie de regarder comment il était vêtu. Je constatai qu'il n'avait qu'un t-shirt s'arrêtant aux hanches et laissant voir ses jambes maigres et un pli au bas des fesses. Quand il revint se coucher, je scrutais la nuit, debout, les coudes appuyés sur le cadre de la fenêtre ouverte.

Au bout d'une heure, je m'allongeai au bord du lit. Il faut croire que, cédant à la fatigue, je dormis un certain temps, car un bruit me réveilla en sursaut. Une sorte de claquement. Monsieur Waterman dormait toujours. Je me levai doucement. Il n'y avait personne sur la terrasse, c'était le petit jour, ma sœur et les autres étoiles avaient disparu.

Je sortis de la chambre sur la pointe des pieds et, après un arrêt aux toilettes, je me rendis sur le balcon. La basse-ville sommeillait encore. L'autoroute Dufferin avec ses lampadaires orangés était déserte et je ne vis que trois ou quatre voitures au carrefour du boulevard Charest et de La Couronne. Je me demandais si je devais refaire du café ou bien rattraper un peu de sommeil sur le divan. À l'instant où j'allais rentrer, l'esprit trop engourdi pour prendre une décision, j'entendis le bruit lointain d'une sirène. Un mugissement bref, sur deux tons.

Le bruit se rapprochait. Me penchant par-dessus le garde-fou, j'aperçus, du côté droit, une ambulance qui venait dans la rue d'Aiguillon. Vert pâle, carrée avec des clignotants rouges sur la cabine, elle ralentissait à chaque intersection et passait sa route en donnant un coup de sirène. Tout près de la tour, au coin de Sainte-Marie, elle vira à droite et je la perdis de vue à cause de la hauteur des immeubles. À l'évidence, elle venait de s'arrêter dans la rue Richelieu. Je n'entendais plus la sirène, et la maison au toit rouge était balayée par des lueurs intermittentes.

Je sentis une main sur mon coude. Monsieur Waterman était à côté de moi. Il avait mis un jean, un coupe-vent et des mocassins, et ses cheveux étaient ébouriffés. Son visage défait me disait, s'il en était besoin, qu'un drame venait de se produire, que c'était peut-être notre faute car nous avions trop attendu. Il fallait aller voir ce qui se passait sans plus tarder. Prenant l'ascenseur, nous sortîmes de l'immeuble presque en courant, fatigués et rongés d'inquiétude.

Dans la rue Richelieu, il y avait une dizaine de badauds parmi lesquels nous reconnûmes la femme de l'épicier. L'ambulance était stationnée, les deux portes arrière ouvertes, en face de la maison que nous avions visitée. Nous attendions sur le trottoir d'en face. J'avais glissé ma main dans la poche du coupe-vent de monsieur Waterman et mes doigts se mêlaient aux siens. Il les serra plus fort lorsque la porte de la maison s'ouvrit.

Nous vîmes sortir une policière. Elle avait des cheveux noirs et frisés qui débordaient de sa casquette. Juste derrière elle venait la jeune fille, et je fus soulagée de voir qu'elle était vivante, quoique très pâle et chancelante. Elle n'avait pas de menottes aux poignets, mais dès qu'elle eut descendu les marches de l'escalier extérieur, la policière se retourna et lui prit le bras ; je ne sais pas si elle voulait la soutenir ou l'empêcher de s'enfuir.

Un murmure s'éleva parmi les badauds lorsque la porte s'ouvrit une deuxième fois. C'étaient les ambulanciers. Ils transportaient quelqu'un sur une civière, et je sentis une boule me monter dans la gorge en voyant que cette personne était entièrement recouverte d'un drap blanc. Les deux hommes installèrent la civière à l'intérieur de l'ambulance, et la jeune fille, toujours escortée de la policière, monta à son tour et s'assit sur une banquette à côté du corps.

C'était peut-être le fruit de mon imagination, mais au moment où la civière était hissée dans l'ambulance, le drap avait glissé et, pendant qu'un des hommes se hâtait de le remettre en place, il m'avait semblé voir une tache rouge s'élargir sur le tissu blanc à la hauteur de la tête.

Cette vision, réelle ou imaginée, me paralysa durant de longues secondes. Je me serrais contre monsieur Waterman et m'accrochais à sa main comme à une bouée de sauvetage. Les ambulanciers refermèrent les deux portes. Voyant qu'ils allaient monter dans la cabine, je fis un effort pour me ressaisir. Je m'approchai du chauffeur et lui demandai s'il se dirigeait vers l'Hôtel-Dieu. Il fit un signe de tête affirmatif.

21

UNE VITRE À L'ÉPREUVE
DES BALLES

À l'Hôtel-Dieu, où nous nous rendîmes à pied, je me laissai guider dans les couloirs par monsieur Waterman. À cause de ses problèmes de cœur, il connaissait bien le Service des Urgences et plusieurs membres du personnel.

Je m'attendais à trouver une salle d'attente en effervescence avec des malades allongés, des blessés couverts de bandages sanguinolents, des civières poussées par des secouristes au pas de course. Ce fut tout le contraire : la salle était petite et silencieuse ; encore plus étonnant, il n'y avait personne pour nous accueillir.

Nous prîmes place sur une banquette, entre la policière aux cheveux frisés, qui avait enlevé sa casquette, et deux jeunes amoureux serrés l'un contre l'autre. À notre droite, je vis une distributrice de café, la porte des toilettes et, près du plafond, une télé en marche dont le son était coupé. Le bureau d'accueil se trouvait en face de nous ; il était intégré au mur et protégé par une paroi vitrée qui, d'après son épaisseur, semblait à l'épreuve des balles, comme si c'étaient les employés de l'hôpital, et non les patients, qui couraient un danger. Au fond de la salle, il y avait deux portes coulissantes qui donnaient, selon toute vraisemblance, sur les locaux où l'on dispensait les soins urgents. Derrière ces portes se jouait le sort de deux personnes que nous connaissions, et l'une d'elles, par l'intermédiaire de quelques mots mystérieux sur un bout de papier, était entrée dans ma vie et avait fini par me mettre le cœur à l'envers.

Au bout d'un quart d'heure, une infirmière apparut dans le bureau d'accueil. Monsieur Waterman me souffla à l'oreille qu'il la connaissait : elle lui avait déjà fait passer un électrocardiogramme. Elle fit signe aux deux amoureux d'approcher. Quand ils furent assis en face du bureau, elle leur remit un feuillet par un orifice dans la paroi de verre. Ils se penchèrent en avant tous les deux pour ne rien perdre de ce qu'elle disait, mais comme elle parlait très fort, je n'eus pas de mal à comprendre que les jeunes avaient attrapé une saleté en faisant l'amour et que la pharmacie la plus proche se trouvait à deux pas de l'hôpital, dans la Côte du Palais.

À son tour, la policière s'approcha et s'assit, posant sa casquette sur son genou. Après lui avoir adressé un sourire amical, l'infirmière fit le compte rendu de la situation. Monsieur Waterman, qui avait une respiration sifflante quand il était fatigué, retint son souffle et je pus saisir l'essentiel de leur échange. La jeune Limoilou était en état de choc, comme on pouvait s'y attendre après le drame qu'elle venait de vivre. Elle n'avait cependant aucune blessure physique et devait avant tout se reposer.

Quand la policière fut partie, il ne restait que nous deux dans la salle. L'infirmière nous jeta un regard interrogateur et nous allâmes nous asseoir en face du bureau. Monsieur Waterman expliqua que nous étions des voisins de la jeune fille.

— On a vu l'ambulance et on est venus prendre de ses nouvelles, dit-il simplement.

— Elle dort, dit l'infirmière. On lui a donné un sédatif.

— Ça veut dire qu'elle n'allait pas bien? demandai-je d'une voix tremblante que je n'aimais pas beaucoup.

— Au début, elle répondait calmement aux questions, et puis elle s'est mise à pleurer et elle ne pouvait plus s'arrêter. Et brusquement, elle a fait une grosse colère, elle bousculait tout le monde et jetait des objets par terre.

— La colère, dit monsieur Waterman, est-ce que c'est pas un bon signe? Je veux dire, un signe de vitalité?

— C'est vrai, mais...

L'infirmière s'arrêta et observa mon compagnon avec attention. À mon avis, elle ne le reconnaissait pas. Je ne suis pas une experte pour lire dans les pensées, mais elle semblait plutôt se demander ce qu'il avait en tête et pourquoi il mettait son nez dans cette affaire. Elle se disait peut-être qu'il était journaliste et qu'il voulait écrire un article sur la qualité des soins dispensés au service des urgences.

— On ne peut pas savoir, dit-elle. La colère pourrait se retourner contre elle. On lui donnera un coup de main quand elle se réveillera. Pour l'instant, elle a besoin de repos, c'est tout.

— Elle va dormir longtemps ?

— Quelques jours. Pourquoi toutes ces questions ?

C'était le moment d'intervenir, alors je dis :

— Nous aimerions l'aider...

Ma voix tremblait encore un peu. L'infirmière fronça les sourcils, tourna les yeux vers moi. Je sentis que ma crinière rousse, mes taches de rousseur et mon air juvénile ne lui inspiraient pas plus confiance que la barbe grisonnante et la maigreur extrême de monsieur Waterman. En plus, elle s'interrogeait probablement sur la nature de nos rapports. Peut-être qu'elle se demandait si nous n'étions pas des proxénètes, comme il en existait un certain nombre dans le quartier. Pourtant, nous n'avions pas l'air de ce genre de crapules, si je peux me permettre.

Malheureusement, je n'avais pas le temps de lui raconter comment nous avions trouvé le chat noir à l'île d'Orléans, comment le message caché sous son collier nous avait conduits à l'appartement de la fille, et comment les ombres qui s'agitaient sur la terrasse nous avaient annoncé qu'un drame se préparait.

Je ne pouvais pas non plus lui parler de ma sœur.

Alors, surmontant l'inquiétude qui me tenaillait, je lui fis mon sourire le plus doux. Un sourire qui voulait ressembler à celui dont parlait Scott Fitzgerald quand il écrivait : « Elle adressa un mince sourire à Lew pendant un instant, et puis visa un peu à côté, comme si elle avait tenu une lampe de poche qui pouvait l'éblouir. »

L'infirmière eut l'air de réfléchir. Il n'y avait personne d'autre dans la salle et elle pouvait prendre son temps. Monsieur Waterman insista :

— J'habite à côté de chez elle et je la vois souvent.

Ce n'était pas faux, puisqu'il la regardait avec ses jumelles. L'infirmière nous enveloppa d'un regard qui semblait moins soupçonneux.

— Et qu'est-ce que vous pourriez faire pour l'aider ? demanda-t-elle.

— On n'a encore rien décidé, dit-il.

— Ne vous inquiétez pas. Une travailleuse sociale va s'occuper d'elle quand elle sera réveillée et qu'elle aura repris des forces.

— Ça veut dire combien de jours ? demandai-je avec ma drôle de voix.

— Trois ou quatre jours.

— Et la vieille dame... ? s'informa monsieur Waterman dans un souffle.

Un pli barra le front de l'infirmière et elle avala sa salive.

— Elle a réussi ce qu'elle voulait faire, dit-elle sombrement, puis elle se leva et sortit par l'arrière du bureau.

22

LE SAUT DE L'ANGE

Une grande fatigue s'abattit sur nous après notre visite à l'Hôtel-Dieu. Monsieur Waterman était épuisé physiquement, et moi moralement, car la mort de la vieille me rappelait celle de ma mère, emportée par un cancer de l'intestin. Admise à l'hôpital, puis opérée sans résultat, elle avait supplié qu'on abrège ses jours. Personne n'avait accédé à son désir (moi-même j'aurais refusé si elle me l'avait demandé), et elle était morte à petit feu. Elle qui avait toujours été si vivante, si impétueuse.

Renonçant à travailler, monsieur Waterman proposa que nous prenions quelques jours de repos à l'île, même si ce n'était pas encore la fin de semaine. Avant de descendre le chemin de terre menant chez moi, je repris la clé que j'avais laissée à la fillette. Elle me raconta qu'elle s'était rendue deux fois au chalet et qu'elle avait montré à Famine comment se faire accepter par la vieille Chaloupe. À présent, disait-elle avec fierté, le petit chat noir n'avait plus besoin de se cacher dans la cabane d'oiseaux. Je la remerciai de bon cœur, ne jugeant pas utile de lui apprendre que les chats sympathisaient depuis un bon moment déjà.

J'avais prévenu monsieur Waterman qu'il ne devait pas s'attendre à une tranquillité complète parce que, avec l'arrivée de l'automne, les cultivateurs avaient entrepris de moissonner les champs situés près du chalet. Par beau temps, il fallait supporter le vacarme incessant des diverses machines qui fauchaient le foin, le retournaient pour le faire sécher, le disposaient en lignes régulières (les andains), puis le ramassaient sous la forme de grosses balles qui étaient lancées bruyamment dans un chariot pris en remorque.

Sans arrêt, une buse volait en cercle au-dessus de nos têtes : c'était le signe que, dans les champs d'alentour, les mulots et autres petites bêtes étaient délogés de leurs terriers. Heureusement pour les rongeurs et pour nous, peu de temps après notre arrivée, une pluie fine et tenace se mit à tomber, interrompant les moissons. Le mauvais temps nous garantissait un peu de paix.

J'allumai le poêle à bois. Nous ne parlions pas beaucoup, et surtout pas de la petite Limoilou ; nous étions des experts dans l'art d'éviter le sujet qui nous préoccupait. Plusieurs questions nous trottaient dans la tête, mais nous n'avions pas les réponses pour l'instant : c'était trop difficile. Dans les circonstances, m'occuper du poêle à bois était ce que je pouvais faire de mieux. Je mettais juste la quantité de bois qu'il fallait, sans quoi on avait trop chaud, on devait ouvrir les deux portes et toutes les fenêtres. Et alors, l'humidité rentrait.

De son côté, monsieur Waterman se réfugia dans la lecture. Fouillant dans ma bibliothèque – bien maigre à cause de mes nombreux déplacements, et composée surtout de dictionnaires –, il avait trouvé les *Lettres à Milena* de Franz Kafka. Un livre que je traînais avec moi depuis l'époque de mes études à Genève. Il m'avait été recommandé par un professeur très original dont le cours s'intitulait « La traduction est une histoire d'amour ».

Pendant qu'il lisait, bien calé dans sa chaise longue et les genoux relevés, j'étais allongée sur le divan-lit. Je ne faisais rien d'important. Je jouais avec le chat noir. La vieille Chaloupe était dehors sous la pluie. De temps en temps, je me levais pour mettre un morceau de bois dans le poêle. J'essayais de ne pas trop penser à la petite.

Je passai l'après-midi et une partie de la soirée dans une sorte de torpeur entrecoupée de brefs souvenirs qui me revenaient à l'esprit sous forme d'images ou de mots. Par exemple, cette phrase que j'avais notée pendant le cours dont je viens de parler : « Chaque jour, pour être fidèle à votre texte, mes mots épousent les courbes de votre écriture, à la manière d'une amante qui se blottit dans les bras de son amoureux. » C'était Milena qui s'adressait ainsi à Kafka. Mais je ne me souvenais plus si la phrase appartenait vraiment à la traductrice tchèque ou si ce n'était pas plutôt mon professeur qui la lui avait mise dans la bouche afin d'illustrer sa thèse. Je penchais pour cette dernière possibilité, sachant très bien, comme tous les traducteurs, que les lettres de Milena, contrairement à celles de Kafka, n'avaient pas été conservées.

Il n'était que vingt et une heures trente et déjà nous tombions de sommeil. Monsieur Waterman se coucha comme d'habitude dans le solarium. Pour ma part, je m'allongeai dans la cuisine sur un lit de camp avec l'intention de surveiller le poêle. En automne, le solarium était la pièce la plus froide du chalet, et je ne voulais pas que l'écrivain attrape du mal. À ma manière, un peu rétive, c'était quand même l'homme que j'aimais le plus au monde. Comme les chats, je ne dormais que d'un œil, je me levais de temps en temps pour ajouter un quartier de bouleau ou d'érable. En plus d'être zouave, j'étais bien partie pour devenir mère poule.

Un peu avant l'aube, la pluie cessa de tambouriner sur le toit. Quand je me relevai une dernière fois pour ranimer le feu, je sortis par l'arrière sans faire de bruit. Il y avait un vent léger et je restai dehors à frissonner dans l'air frais jusqu'au moment où j'aperçus Vénus et la petite étoile.

Après le déjeuner, monsieur Waterman s'installa de nouveau avec son livre dans le solarium. L'envie me prit de faire une sieste pour récupérer le sommeil perdu, mais tout à coup je me remis à songer à ma mère. Elle n'était jamais fatiguée. Nous pensions, ma sœur et moi, qu'elle était entièrement à notre service. Nous la traitions comme une esclave. Elle se levait la nuit si l'une de nous était malade, faisait un cauchemar ou réclamait un verre d'eau. À l'adolescence, lorsque nous rentrions d'une fête au milieu de la nuit, elle n'était pas encore couchée, et cela ne l'empêchait pas d'être debout, le lendemain, pour nous servir des corn flakes et des toasts avec du miel. Elle débordait d'énergie, ce qui expliquait par ailleurs les accès de colère qui la faisaient ressembler à Maureen O'Hara dans le film de John Ford.

L'image de ma mère si pleine de vie me fit sortir de ma torpeur. Une fonceuse comme moi devait faire semblant d'être dans une forme olympique. Je mis mon bikini et, traversant le solarium, je quittai le chalet par la porte avant. Monsieur Waterman m'observait certainement par la fenêtre, alors je pris mon temps pour descendre le talus qui menait à l'étang. J'étais une championne, l'herbe mouillée n'était pas trop froide pour mes pieds nus, l'automne n'était pas arrivé, les érables n'avaient pas commencé à rougir. Adoptant un air aussi naturel que possible, je me rendis au début de la jetée, et là, les bras allongés sur le côté comme si j'avais des ailes, je pris un élan. Je me proposais d'exécuter un magnifique saut de l'ange, mais à l'instant où je pliais les genoux pour prendre mon envol à l'autre bout, mes pieds glissèrent sur le bois humide et je heurtai violemment la dernière planche avec ma tête.

Sur le moment, je perdis conscience. Quand je repris mes esprits, j'étais sous l'eau, je suffoquais. D'un coup de pied sur le fond limoneux, je remontai à la surface. Monsieur Waterman arrivait en courant. Je toussais et crachais comme une malade. Il se précipita au bout de la jetée et me tendit l'espèce de perche que j'utilisais pour arracher les algues. J'en attrapai l'extrémité et, très vite, il me tira jusqu'à la rive. Dégoulinante, agitée de frissons, je ne pouvais m'arrêter de toussoter. Malgré son mal de dos, il me prit dans ses bras et me porta jusqu'au chalet. Étirant le bras, j'ouvris moi-même la porte moustiquaire. La dernière fois qu'on m'avait portée de cette façon, c'était en hiver, j'avais sept ans, la glace de la rivière s'était brisée et un voisin m'avait ramenée à la maison.

Monsieur Waterman me déposa sur le lit de ma chambre, se redressa et cambra le dos en grimaçant. Il alla prendre une serviette et une couverture de laine dans l'armoire et me dit que je devais enlever mon bikini. Il me donna la serviette et sortit de la chambre. Pendant que je retirais mon vêtement et que je m'essuyais, je l'entendis qui remettait du bois dans le poêle. Quand il revint, j'étais allongée sur le dos. La couverture de laine me couvrait jusqu'aux yeux ; il sourit et la replia sous mes pieds.

C'était plus fort que moi, je continuais de frissonner. S'asseyant sur le lit, il mit la main sur mon front comme ma mère faisait quand j'étais petite ; je scrutai vainement son visage ridé pour savoir si j'avais de la fièvre. Ensuite il me fit tourner la tête et, glissant ses doigts sous ma chevelure rousse, il tâta la bosse que j'avais derrière le crâne. Je sentais une douleur assez vive, mais il me rassura en disant que, d'après lui, ce n'était rien d'autre que la bosse de la traduction.

Un peu dépitée, je me mis à claquer des dents, comme si j'avais encore très froid. Je voulais qu'il pense que j'avais peut-être attrapé une maladie grave, une pneumonie ou n'importe quoi. J'avais envie qu'il s'occupe de moi, si vous voulez le savoir. D'une voix basse, presque bourrue, il me demanda de me tourner sur le ventre et il sortit de la chambre. À son retour, il abaissa le drap jusqu'à ma taille et, quand il commença à me frictionner, la pièce fut envahie par l'odeur forte de l'antiphlogistine. Une bonne chaleur me pénétrait à mesure qu'il frottait mes épaules, mon dos, mes reins. J'aurais voulu que ça ne s'arrête jamais et, pour un peu, je me serais mise à ronronner.

23

LES YEUX CERNÉS

Même s'il avait grandi, le petit chat noir tenait à l'aise dans le capuchon de mon chandail. Heureusement, il ne bougea pas quand je demandai le numéro de la chambre à l'infirmière du poste de garde.

Tendant l'oreille, je tapotai du bout des doigts sur la porte de la chambre : pas de réponse. Nous nous regardâmes, monsieur Waterman et moi, puis j'entrouvris la porte. Il y avait deux lits. Dans celui qui était près de la fenêtre, je reconnus les cheveux blonds et très courts de la fille. Elle avait le dos tourné et semblait regarder dehors. L'autre lit était vide.

Monsieur Waterman me chuchota d'entrer toute seule pour commencer. Et il me fit une caresse dans le dos ; l'encouragement s'adressait moitié à moi, moitié au chat dissimulé dans mon capuchon.

J'entrai sur la pointe des pieds.

La fille était immobile. Je vis, en m'approchant, qu'elle avait un walkman sur les oreilles. Quand je posai le chat sur le lit, elle se retourna brusquement, les yeux agrandis. Elle avait des cernes mauves autour des yeux, le teint très pâle, elle portait un chandail aussi noir que le chat et je me rendis compte à cet instant qu'elle était incroyablement belle.

Le chat grimpa sur ses jambes, puis sur son ventre. Elle lui offrit une main, paume ouverte, et il tendit son museau pour la sentir. Ensuite il lui lécha les doigts. Le chandail de la fille était un peu trop grand, de sorte que les manches dissimulaient ses poignets.

— Salut Ti-Mine ! fit-elle. Qu'est-ce que tu fais ici ?

Elle le souleva à deux mains, le posa sur sa poitrine et lui caressa le menton et l'arrière des oreilles. Puis elle tourna vers moi ses yeux cernés et remplis de larmes, et me regarda sans rien dire. J'avais une boule dans la gorge, mais il valait mieux ne pas le montrer.

— J'habite à l'île d'Orléans, dis-je après m'être éclairci la voix. Ton chat est arrivé un beau matin et il est resté.

— Il a grandi...

On dit que les chats n'ont pas de mémoire. Pourtant, il avait l'air de la reconnaître : il frottait son museau dans le cou de la fille et ronronnait. Elle réfléchissait à voix haute tout en le caressant. Je dis *à voix haute*, mais tout ce que j'entendais, c'était un murmure.

— Ça veut dire que t'as lu le message... Mais comment ça se fait que tu m'as trouvée ?

— J'ai une vraie tête de mule. Et puis, un ami m'a aidée.

— C'est lui qui chuchotait, tout à l'heure, quand t'as ouvert la porte ?

— Tu nous as entendus malgré le walkman ?

— Il est pas allumé. Je mets les écouteurs pour que les infirmières me laissent tranquille. Elles voudraient que je dise oui à la proposition de quelqu'un qui est venu me voir. Une travailleuse sociale.

Je me penchai vers elle pour mieux entendre ce qu'elle disait.

— Quel genre de proposition, si c'est pas indiscret ?

— Aller dans un foyer d'accueil.

— Et qu'est-ce que t'en penses ? demandai-je avec inquiétude.

Ma voix n'était pas normale, je suppose, car elle me regarda longuement avant de répondre. Elle était sur ses gardes.

— Ça dépend, dit-elle. En tout cas, je peux pas retourner où j'étais. Les raisons, j'imagine que tu les connais.

— Je les connais parce que moi aussi j'ai rencontré la travailleuse sociale : c'était avant-hier et mon ami était avec moi. On avait une idée et on voulait lui en faire part.

— C'est quoi, l'idée ?

— Je ne suis pas sûre d'être capable de bien l'expliquer. Si mon ami était là... Je veux dire, si ça ne te dérange pas qu'il entre, peut-être qu'à nous deux, on aurait des chances de trouver les mots justes.

— Ça me dérange pas, dis-lui d'entrer.

Elle s'assit dans le lit, plaçant le chat entre ses genoux, et j'allai ouvrir la porte à monsieur Waterman. Il me regarda au fond des yeux, essayant de savoir si tout se passait bien. Je lui fis un petit sourire pour lui dire qu'il y avait de l'espoir, puis il entra et s'approcha du lit. J'étais heureuse de pouvoir compter sur son aide. Ce matin-là, il s'était donné la peine de tailler sa barbe grise dans le but d'offrir ce qu'il appelait un *visage plus humain*. Il avait assez belle allure, si je peux me permettre.

— C'est monsieur Waterman, dis-je à la fille.

— Bonjour. Moi, c'est Limoilou.

— Et moi, c'est Marine.

Il y eut un moment de gêne, puis la fille nous fit signe de nous asseoir. Monsieur Waterman s'appuya le dos contre la tablette de la fenêtre, tandis que je m'asseyais sur le pied du lit. Je cherchais les mots qui me permettraient d'expliquer clairement ce que nous avions en tête, mais elle me devança :

— Je sais ce que vous voulez, dit-elle. Vous êtes une famille d'accueil.

— Pas vraiment, dis-je.

— J'aime autant vous le dire : les familles d'accueil, j'ai déjà essayé plusieurs fois et ça n'a pas marché.

— On n'est même pas une vraie famille, dit monsieur Waterman.

— Comment ça ?

— Marine demeure à l'île d'Orléans avec une vieille chatte. Moi, j'habite tout seul dans le quartier Saint-Jean-Baptiste, pas loin de chez toi.

— T'es à la retraite ?

— Non, j'écris des histoires. Il n'y a pas de retraite pour ceux qui écrivent des histoires.

— Et moi, je traduis ses histoires en anglais, dis-je. On n'habite pas sous le même toit, mais on est souvent ensemble.

La fille nous regardait l'un après l'autre de ses grands yeux cernés, sans arrêter de flatter son chat. Le front plissé, elle soupesait chacune de nos paroles.

— Vous n'êtes pas amoureux ?

— On s'aime beaucoup, dis-je. Monsieur Waterman vient souvent à l'île, et parfois c'est moi qui me rends à Québec. On n'a pas vraiment décidé de vivre comme ça, mais c'est ce qui nous convient pour l'instant.

— Et qu'est-ce que vous proposez ?

Au moment où, surmontant mes craintes, j'allais essayer de répondre, des pas se firent entendre dans le couloir. La fille dissimula le chat noir sous les couvertures. On frappa à la porte, une infirmière passa la tête dans l'encadrement et lui demanda si elle avait besoin de quelque chose. Les draps remontés jusqu'au menton, elle secoua négativement sa tête blonde.

— Qu'est-ce que vous proposez, au juste ? reprit la fille dès que l'infirmière eut quitté la chambre.

— Si le cœur t'en dit..., commençai-je.

— *Uniquement* si le cœur t'en dit, insista monsieur Waterman.

— Tu pourrais t'installer à l'île avec ton chat.

— Et quand tu aurais envie d'être en ville, tu n'aurais qu'à venir habiter chez moi, dans le quartier que tu connais.

Le chat sortit de sous les couvertures et se coucha au creux de l'épaule de la fille, le museau dans son cou.

— C'est comment, à l'île? demanda-t-elle.

Avec l'aide de monsieur Waterman, qui complétait mes phrases et ajoutait des détails par-ci par-là, je décrivis le chalet au milieu des érables aux feuilles jaunes et rouges, la chambre qu'elle pouvait occuper, le poêle à bois, le grand solarium, l'étang bordé de fleurs et d'arbustes fruitiers qui devenait une patinoire en hiver, et la drôle de petite fille du bout de la route. Je mentionnai la cabane à bois qui pouvait être convertie en logement indépendant pour l'été. Je parlai de tous les animaux : la vieille Chaloupe et sa démarche oscillante, les ratons laveurs qui apparaissaient à la brunante, le couple de hérons bleus, les écureuils qui se poursuivaient d'une branche à l'autre, le renard roux avec sa longue queue, la biche qui descendait la côte en marchant comme un *top model*, sans oublier les anciens chevaux de course à qui je faisais la conversation.

Il ne me sembla pas utile, pour l'instant, de parler des maringouins, des mouches à chevreuil, de l'odeur du lisier répandu dans les champs d'alentour ni du bruit des machines agricoles.

Je terminai par quelques mots sur mon travail, disant que j'écrivais mes traductions à la main et que je ne refuserais pas l'assistance d'une personne capable de taper mes textes. Monsieur Waterman ajouta qu'il était dans la même situation.

Ayant dit l'essentiel et un peu plus, je me tus. J'allai m'asseoir sur le lit inoccupé. Monsieur Waterman, qui m'avait soutenue par ses paroles et par des regards chaleureux, vint se mettre à côté de moi. C'est alors que la fille, à notre grande surprise, remit son casque d'écoute et se retourna carrément vers la fenêtre.

Nous avions manqué notre coup. Mes explications lui avaient déplu, ou j'avais trop parlé. Peut-être que le chalet lui paraissait trop isolé. Ou bien elle n'aimait pas du tout la campagne. Ou encore c'est moi qu'elle n'aimait pas : avec ma crinière rousse et l'air farouche que je tenais de ma mère, je faisais peur à certaines personnes.

Je vis une lueur de découragement dans les yeux de monsieur Waterman. Par signes, il me fit comprendre qu'il valait mieux reprendre le chat et nous retirer sur la pointe des pieds. C'est ce que nous allions faire quand la fille se retourna à moitié et, d'une voix tout juste perceptible :

— Je suis trop fatiguée, dit-elle. Il faut que je réfléchisse... Je vais parler avec la travailleuse sociale... C'est elle qui va vous appeler.

Elle se tut. Je remis le chat dans mon capuchon et nous sortîmes sans faire de bruit.

24

LES MOTS DOUX

Monsieur Waterman retourna dans sa tour en attendant que je lui fasse signe. Il avait envie d'inclure dans son texte l'un ou l'autre des événements que nous avions vécus ensemble depuis le début de l'été. Quand je lui ai demandé si son travail avançait mieux, il a répondu que, malheureusement, ce n'était pas « le chef-d'œuvre immortel de Fenimore Cooper ».

De mon côté, au chalet, je ne tenais pas en place. Avec le vieil Électrolux qui vrombissait comme un Boeing 747, je nettoyai toutes les pièces à fond, y compris ma chambre où je libérai la moitié du placard et deux des quatre tiroirs de la commode. Je ne savais pas exactement ce que l'avenir me réservait, mais cette fois l'incertitude me poussait à l'action. Mon énergie était revenue et je me disais que ma mère aurait été fière de moi.

Lorsque le chalet fut propre, les deux chats émergèrent de sous le divan-lit et reprirent possession des lieux. Emportant le combiné du sans-fil, que je posai sur la table à pique-nique, je sortis en petite tenue malgré la fraîcheur de l'air. Pendant au moins une heure, j'arrachai les dernières algues de l'étang. Ce travail terminé, j'entrepris une opération que j'avais maintes fois envisagé d'accomplir, sans jamais passer à l'acte. Dans mon esprit, cette opération s'appelait *la déportation des ouaouarons*. Il s'agissait d'attraper les bruyantes grenouilles une à une avec une épuisette, de les mettre dans un seau et de les transporter chez le plus proche voisin, qui possédait lui aussi un étang. Je me mis d'abord à la poursuite de Monsieur Toung, le ouaouaron dont le coassement était le plus agaçant, celui qui se cachait sous la jetée, utilisant celle-ci comme caisse de résonance pour amplifier sa voix de contrebasse. Plus rapide que moi, il disparut dans l'eau limoneuse à la première alerte et je ne le revis jamais. Je n'eus pas plus de succès avec ses congénères et, au bout d'une demi-heure, je renonçai à mon entreprise.

Le téléphone ne sonnait toujours pas. Je retournai au chalet pour prendre mon sac de couchage et j'allai m'allonger dans l'herbe à la Croisée des murmures, au milieu des fleurs que je préférais, les épervières orangées. Dans le ciel, une bande de corneilles essayait de mettre une buse en fuite. Le temps passait très lentement, mon inquiétude grandissait et je n'étais pas loin d'avoir les bleus, si vous voulez le savoir.

Le ton impératif de la sonnerie me fit sursauter. C'était la travailleuse sociale : Limoilou voulait nous voir le plus tôt possible. J'appelai tout de suite monsieur Waterman. Trois quarts d'heure plus tard, nous entrions dans la chambre de la fille. Avec ses yeux cernés, elle était toujours aussi émouvante, mais son visage affichait un air plus résolu. Je n'avais pas apporté le chat noir, et je le regrettai un peu quand j'entendis la première question :

— Mon petit chat, est-ce qu'il s'entend bien avec la vieille Chaloupe ?

— Au début, c'était difficile, dis-je. La chatte n'acceptait aucun animal dans son territoire, même s'il était plus gros qu'elle. Les ratons laveurs, par exemple : ils sont beaucoup plus gros, et pourtant elle fonçait sur eux ventre à terre et ils avaient la frousse. Ils grimpaient dans un arbre.

— Et Chaloupe, elle ne grimpe pas ?

— Non, elle n'a plus de griffes.

— Quoi ?... Tu lui as coupé ses griffes ?

— Mais non ! Elle était dégriffée quand je l'ai trouvée à la Société protectrice des animaux.

— Ah ! tu l'as *adoptée*...

— Oui.

Assis à côté de moi sur le lit inoccupé, monsieur Waterman appuya son épaule contre la mienne et je poursuivis mon explication :

— C'était difficile pour le chat noir au début. La chatte fonçait sur lui et il était obligé de se cacher. Parfois il se réfugiait dans une cabane d'oiseaux, une grande cabane dont l'ouverture avait été agrandie par les écureuils. Je devais les nourrir séparément. Mais le petit chat était rusé et très patient, et Chaloupe est devenue moins agressive. Ils ont fait la paix et se sont mis à manger dans le même plat et à dormir ensemble comme de vieux amis.

Une lueur brilla dans les yeux de la fille, mais ensuite je fus étonnée de voir qu'elle nous tournait le dos comme la première fois. Elle remit son casque et, en plus, elle alluma son walkman. Vu que monsieur Waterman n'avait rien dit pendant mon explication, j'étais la seule responsable. C'était entièrement ma faute. J'avais trop parlé et raconté des niaiseries, la cabane d'oiseaux, les écureuils et tout ça. La petite avait besoin de repos, elle n'avait pas envie de vivre avec une *placoteuse* dans mon genre.

Je cherchai le regard de monsieur Waterman pour voir ce qu'il en pensait. Ses yeux ne montraient aucune anxiété ; ses bras croisés et son sourire patient me disaient qu'il fallait attendre. Comme la fille avait le dos tourné, je posai ma tête sur l'épaule de mon ami. Au bout d'un moment, il me fit signe de bien regarder par la fenêtre : elle donnait au nord-est, où se profilait la délicate silhouette du pont de l'île d'Orléans. Peut-être que la fille regardait en direction de chez moi, pesant le pour et le contre, et cette pensée me réconforta un peu. Quand monsieur Waterman mit un bras autour de mon épaule, je compris qu'il s'accrochait lui aussi à cet espoir.

Pendant de longues minutes, nous entendîmes, assourdi par le casque d'écoute, le rythme métallique et obstiné d'une musique techno. Puis Limoilou se retourna brusquement. Elle avait le visage défait et une larme coulait de ses yeux cernés.

— Je suis bonne à rien, se plaignit-elle. Pourquoi vous intéressez-vous à moi ?

Sur le coup, je ne trouvai rien à dire, monsieur Waterman non plus. Alors, se cachant la tête dans l'oreiller, elle éclata en sanglots. C'était comme si elle manquait d'air, comme si elle étouffait. Elle pleurait toutes les larmes de son corps. Je m'approchai du lit et, voyant que son dos était agité de frissons, je posai une main sur son épaule. Elle n'avait que les os et la peau.

Je ne savais pas quoi faire. Ça m'intimide toujours, les gens qui pleurent. Les sanglots arrivaient par vagues, et moi j'étais debout au bord de la mer, impuissante. Je lui caressais doucement le dos et les épaules. Son chagrin avait été contenu trop longtemps, le barrage avait cédé et son cœur se vidait peu à peu. Quand une vague était passée, il en arrivait une autre, qui venait de plus loin, et encore une autre.

Elle n'arrêtait pas de pleurer. Les yeux de monsieur Waterman me suppliaient, alors je pris une décision. Ayant retiré mes chaussures, je m'allongeai sur le lit, par-dessus les couvertures. Je passai un bras sous sa tête, l'autre autour de sa hanche. Très doucement, pour ne pas l'effaroucher, et aussi parce que j'avais peur moi-même, je la tirai vers moi en retenant mon souffle. Elle se laissa faire. Quand elle nicha sa tête au creux de mon épaule, je sentis ses larmes couler dans mon cou.

J'avais beau lui frotter le dos, elle continuait de frissonner et de pleurer. Monsieur Waterman vint s'asseoir de l'autre côté du lit et commença de lui caresser les cheveux. Tandis qu'il faisait ce geste, les rides de son visage étaient adoucies par une lumière que je n'avais pas vue depuis longtemps, peut-être depuis le moment où nous nous étions rencontrés pour la première fois dans le cimetière du Vieux-Québec.

L'image du cimetière me fit penser à ma mère. Quand j'étais petite et que j'avais un chagrin à n'en plus finir, elle me prenait sur elle dans la grande chaise berçante de la cuisine et me berçait en murmurant des mots doux, des mots qui ne veulent rien dire et servent uniquement à consoler les enfants qui ont de la peine. C'est ce que je tentai de faire à mon tour. Serrant la fille dans mes bras, je me mis à la bercer en lui murmurant à l'oreille tous les mots doux qui me revenaient en mémoire et d'autres que j'inventais. Peu à peu, les larmes diminuèrent, les sanglots qui secouaient ses épaules et son dos s'espacèrent. Elle cessa de pleurer. Sa respiration demeura oppressée un moment, puis s'apaisa.

Lorsque je desserrai les bras, elle s'écarta de moi et redressa la tête. Son visage était tout mouillé. Monsieur Waterman fouilla dans ses poches et lui tendit un kleenex.

— Il est propre, dit-il avec une grimace comique.

La fille eut un rire nerveux, puis se remit à pleurer et, un long moment, elle hésita entre le rire et les larmes. Enfin, elle se calma. Elle s'assit dans le lit, le dos calé sur les oreillers, et poussa un long soupir qui semblait indiquer que la crise était passée. Elle haussa les épaules, comme pour s'excuser, puis allongea un bras pour replacer les draps. Dans ce geste, une manche de son chandail glissa, découvrant la cicatrice de son poignet, mais elle ne s'en rendit pas compte. Au contraire, un petit sourire apparaissait sur son visage. C'était nouveau et rassurant, et monsieur Waterman s'en apercevait lui aussi.

Elle déclara :

— O.K., on s'en va à l'île, mais...

Une main levée, elle cherchait ses mots. Voyant qu'elle ne trouvait rien, mon compagnon lui vint en aide :

— Je sais, dit-il. C'est seulement pour faire un essai, tu ne t'engages à rien. Si tu n'es pas bien, si le chalet ne te convient pas, on te ramène ici ou à l'endroit que tu voudras. Il n'y a pas de contrat entre nous. Tu restes libre et nous aussi.

Elle fit oui de la tête à plusieurs reprises pour signifier que c'était bien ce qu'elle voulait dire. Monsieur Waterman et moi, nous fîmes le même signe, afin qu'elle sache que nous étions également de cet avis et que c'était entendu une fois pour toutes.

— Mais je veux y aller tout de suite, ajouta la fille en repoussant les draps.

Assise au bord du lit, elle cherchait ses pantoufles du bout des pieds. Quand elle se mit debout, nous vîmes qu'elle portait un pantalon de pyjama bleu pâle qui était trop grand pour elle. Les pantoufles aussi. C'était probablement la travailleuse sociale qui lui avait prêté des vêtements.

Traversant la chambre d'un pas incertain, mais l'air décidé, elle ouvrit la porte de la garde-robe. Elle en sortit un jean de la même couleur que le pyjama et des souliers de tennis. Puis elle revint s'asseoir sur le lit et dénoua le cordon de son pyjama.

— Je vais chercher le Coyote, dit monsieur Waterman.

Il tourna le dos à la fille et je le reconduisis jusque dans le couloir. Tout allait plus vite d'un seul coup. Il devait passer par le bureau de la travailleuse sociale pour obtenir un billet de sortie ou un document de ce genre. Les vêtements, la nourriture, on s'en occuperait plus tard. Il fallait penser à trente-six affaires en même temps, et c'était difficile à cause des émotions : notre cœur en était plein à déborder.

Monsieur Waterman partit en courant dans le couloir, puis revint subitement vers moi et m'embrassa sur la joue. Sa barbe piquait, car elle était taillée du matin, et pourtant la caresse était très douce.

25

LE PARADIS TERRESTRE

C'était le premier matin.

Je me levai de très bonne heure. Les étoiles n'avaient pas fini de s'éteindre quand je m'installai dans le solarium pour travailler. Bientôt, mon attention fut distraite par des bruits que je n'avais pas coutume d'entendre un jour de semaine. La porte du frigo, les assiettes dans l'armoire, un glissement de pantoufles, le frottement d'une chaise sur le parquet, le tintement d'une cuillère dans une tasse, le déclic du grille-pain et puis la vaisselle dans l'évier : chacun de ces bruits me faisait tendre l'oreille et résonnait dans ma tête.

Ensuite, le silence revint.

Le soleil dépassa la tête des érables qui bordaient le chemin de terre. Il ne tarda pas à éclairer le chalet, l'étang et les alentours.

Je repris mon travail. Dans le chapitre que je traduisais, qui était le dernier, monsieur Waterman avait enlevé tous les mots inutiles, il avait soigné la ponctuation, et j'essayais de lui être fidèle. Comme Milena, je voulais que mes mots épousent les courbes de son écriture.

En quittant mon texte des yeux pour consulter mon *Harrap's*, j'aperçus Limoilou au bord de l'étang. Elle portait son pyjama bleu pâle et son chandail noir. Le jeune chat venait derrière elle et lui-même était suivi de la vieille Chaloupe qui avançait en balançant son gros ventre. Quand la fille s'arrêtait, les deux chats faisaient de même. J'aurais aimé que monsieur Waterman fût là, alors je me mis à chercher les mots justes afin de lui décrire ce que je voyais.

C'était l'été des Indiens, la température avait soudain remonté. Tout de même, je souhaitais de toutes mes forces que la petite ne prenne pas froid dans son pyjama. Elle enleva ses pantoufles... Maintenant elle marchait pieds nus dans l'herbe mouillée et je commençais à trouver qu'elle exagérait un peu. Je ne tardai pas à comprendre ce qui se passait : les hérons bleus étaient installés au bout du quai. Elle ne voulait pas les effrayer avec le frottement de ses pantoufles dans l'herbe.

Limoilou s'avançait très doucement et les deux hérons ne s'envolaient pas, j'en avais le souffle coupé. Et les chats continuaient de la suivre pas à pas. Tout allait bien, j'étais heureuse et inquiète en même temps.

Je jetai un coup d'œil vers le haut de la côte par la porte du solarium. Pour tout dire, je n'aurais pas été surprise de voir le renard roux, ou même la biche aux chevilles de mannequin, descendre le chemin de terre en trottinant pour aller se joindre au cortège de la fille et des deux chats.

L'ANGLAIS N'EST PAS
UNE LANGUE MAGIQUE

*Cette histoire a été révisée par des
lecteurs d'une patience sans limites.*

J. P.

« *Lire, presque autant que respirer,
est notre fonction essentielle.* »

ALBERTO MANGUEL,
Une histoire de la lecture, p. 20.

1

LA MÉPRISE

Prenez moi, par exemple. Vous ne me connaissez
pas du tout. Je descends à pied la rue Saint-Jean,
vous êtes assis à la terrasse du Hobbit et vous ne
me voyez même pas. Je suis le petit frère de Jack.
Même si je n'ai pas étudié la littérature comme lui,
je me débrouille très bien dans la vie. Je suis lecteur
sur demande, c'est mon métier. Et il m'arrive toutes
sortes d'aventures.

Encore hier, le téléphone a sonné. Il était huit
heures du soir.

— Allô?

— Vous êtes le lecteur? demanda une voix de
femme.

— Oui, c'est moi.

— Puis-je avoir un rendez-vous?...

— Bien sûr.

Elle avait une voix douce, qui chantait sur le mot
« rendez-vous », alors je devins très attentif à ce
qu'elle disait :

— Vous allez venir à la maison?

— Mais oui, dis-je. Quel jour vous conviendrait?

Il y eut un moment de silence.

— Demain soir, s'il vous plaît.

— Entendu ! Disons huit heures ?

— C'est bien.

Elle me donna une adresse et un digicode.

La maison se trouvait en bordure des Plaines d'Abraham, rue de Bernières. Je notai les informations dans mon agenda, puis j'attendis. Parfois les clients mentionnent le texte qu'ils veulent entendre, ou le nom de l'auteur. S'ils ne disent rien, je ne fais aucune suggestion : c'est le signe qu'ils aiment les surprises.

La femme gardait le silence. En temps normal, après les salutations d'usage, j'aurais raccroché. Mais cette fois, je voulais entendre de nouveau la petite musique.

— Avez-vous des goûts particuliers ? demandai-je.

— Parlez-moi d'amour, dit-elle.

Sur le coup, je restai muet. Il me fallut plusieurs secondes pour me ressaisir et trouver le moyen de prendre congé. Plus tard, je compris mon erreur. La femme à la voix chantante n'avait fait que mentionner le titre d'un livre : le second recueil de nouvelles de monsieur Raymond Carver.

Pendant quelques instants, tout de même, j'avais cru que la phrase m'était adressée. Cette méprise allait laisser des traces dans mon esprit, c'est ce qui arrive quand on est un petit frère.

2

UNE VITRE CASSÉE

L'idée d'être lecteur sur demande, je l'avais déjà en tête avant de m'établir à Québec.

Je suis né dans un village des Cantons-de-l'Est où mon père tenait un magasin général. Ma mère s'occupait des tâches domestiques et, de surcroît, répondait aux clientes qui venaient acheter de la lingerie fine. Maintenant qu'elle n'est plus là, j'ai envie de la décrire par un seul mot : elle était « bienveillante ». Je veux dire qu'elle veillait bien sur nous.

Si l'on excepte mon frère Théo, dont nous étions sans nouvelles depuis longtemps, la famille comprenait trois enfants : Jack, ma petite sœur et moi-même. Quand je dis « ma petite sœur », c'est une façon de parler ; en réalité, elle est un peu plus vieille que moi.

Jack fut le premier à quitter la maison. Il rêvait d'être écrivain et décida de s'installer dans la capitale. Ma sœur partit ensuite, disant qu'elle voulait « changer d'air et voir du pays ».

Mon père mesurait six pieds deux pouces. Svelte, toujours bien mis, il ramenait ses cheveux en arrière et portait une fine moustache. D'après Jack, il ressemblait à l'ancien acteur Errol Flynn. À mes yeux, il était capable de tout faire. Je l'ai vu agrandir le magasin ainsi que notre logement; en plus, il a fabriqué des comptoirs, des étagères, des meubles et aménagé un terrain de jeux.

J'ai gardé de lui le souvenir d'un homme sensible et gentil, mais sujet à des accès de colère dont la violence me faisait peur. Afin de l'amadouer, j'essayais toujours de lui rendre service. Par exemple, je m'offrais à «ouvrir le magasin» les jours où il avait envie de se lever tard.

Je passais d'abord le balai pour ramasser la poussière et les écales de *pinottes* laissées par les clients de la veille. Ensuite venait le remplissage des tablettes. J'allais chercher, dans le hangar attenant au magasin, divers produits d'épicerie : soupes Aylmer, lait Carnation, petits pois Idéal, miel Old City, thé Salada, cacao Fry, poudre à pâte Magic, marinades Raymond, et autres denrées de ce genre. Lorsque j'empilais les boîtes de conserve sur les tablettes, je mettais un point d'honneur à placer les étiquettes en avant et à former des alignements impeccables.

Cette tâche achevée, j'allumais la radio pour écouter les vieilles chansons qui plaisaient à mes parents. Le poste se trouvait dans un coin du magasin que nous appelions «la fenêtre du moulin». C'est là que ma mère venait s'installer devant une machine à coudre Singer pour faire ses travaux de couture et de reprisage. Elle profitait d'une bonne lumière, car la fenêtre donnait sur la cour, où nous aimions jouer aux cowboys et aux Indiens avec les petits voisins.

Si, encore aujourd'hui, j'ai la tête pleine de chansons, c'est à cause de la radio que j'écoutais le matin en attendant l'arrivée de mon père. Des auteurs comme Leclerc, Brassens, Ferré, Barbara, et des interprètes comme Catherine Sauvage, Juliette Gréco, Cora Vaucaire, Yves Montand, Édith Piaf : voilà ce que j'entendais, en ce temps-là, et les chansons se gravaient dans mon cœur.

Quand il y avait un bruit de pas dans l'escalier, je baissais le volume de la radio. J'espérais de toutes mes forces que mon père allait se rendre compte que j'avais bien travaillé. C'était impossible, à mon avis, de ne pas voir avec quel soin j'avais fait le ménage et rempli les tablettes d'épicerie.

À chaque fois, j'étais déçu. Il ne remarquait rien.

Disons, à sa décharge, qu'il avait beaucoup de soucis. Tenir un magasin général n'était pas une sinécure. Il fallait offrir aux clients des marchandises de toutes sortes : vêtements et chaussures, quincaillerie, pharmacie, fournitures scolaires, aliments en vrac, couvre-planchers, pots de peinture, cigarettes et tabac en feuilles.

Dans le hangar, à l'intention des cultivateurs, nous gardions des sacs de cinquante ou cent livres contenant du sucre, de la cassonade, de la farine, des fèves et de la « moulée à cochons ». Nous avions aussi des barils de clous et de lard salé.

À la cave, juchés sur des madriers, se trouvaient des tonneaux ou des barriques de mélasse, d'huile à charbon, de vinaigre, ainsi que des caisses qui contenaient des vitres à tailler sur mesure. C'était un lieu humide et mal éclairé. Il y régnait en permanence une forte odeur, à la fois rance et sucrée, depuis le jour où, dans un moment de distraction, je n'avais pas fermé à temps le bec qui laissait couler l'épaisse mélasse dans la cruche apportée par un client.

La cave était aussi l'endroit où j'allais faire des exercices pour développer mes muscles. J'étais maigre comme un clou. Les gamins du voisinage me flanquaient des volées dans la cour de l'école. Ils patinaient plus vite que moi, en hiver, lorsque nous organisions des parties de hockey sur la rivière gelée. C'est pourquoi je m'étais fabriqué un haltère avec un manche à balai dont les extrémités s'enfonçaient dans des petites bûches d'érable. Je le soulevais péniblement à la hauteur de ma poitrine, puis au-dessus de ma tête, comme dans les illustrations du *Petit Larousse*. Après chaque séance, j'étais convaincu d'avoir développé mes biceps, élargi mes épaules et ma poitrine. Bientôt, j'allais être assez fort pour transporter les gros sacs de céréales qui s'empilaient dans le hangar.

Malheureusement, notre commerce se mit à péricliter. Rongé par l'inquiétude, mon père fit une grave crise cardiaque. Il vendit le magasin. Mes parents déménagèrent à Québec, dans la paroisse Saint-François-d'Assise, où les loyers n'étaient pas chers. Je m'installai avec eux. Quelques semaines plus tard, ne trouvant pas de travail, j'eus l'idée de faire paraître une petite annonce dans le *Journal de*

Québec pour offrir mes services comme lecteur sur demande. C'est une appellation que j'aime bien, parce que les initiales font LSD : pour moi, la lecture est une drogue.

Les réponses furent plus nombreuses que prévu. Quittant l'appartement familial, je louai un deux-pièces et demi à la haute-ville, dans la Tour du Faubourg, l'immeuble où demeurait mon frère.

Jack habite au douzième et dernier étage, et moi je suis au premier. C'est normal, il est écrivain. Il a une vue imprenable sur la basse-ville et sur les Laurentides.

Pris par son travail, il ne m'invite pas souvent chez lui. J'ai pourtant le sentiment de lui être indispensable. Il me téléphone à n'importe quelle heure pour que je fouille dans mes souvenirs. On l'appelle toujours « le vieux Jack ». En fait, il n'est pas si âgé, mais il a des trous de mémoire. Il est capable de m'appeler au beau milieu de la nuit parce qu'il cherche un mot et qu'il ne peut pas dormir.

Une fois, à deux heures du matin, il m'a demandé si je me souvenais des « mots exacts » que notre père avait utilisés quand nous avions cassé la vitre de la porte du hangar en jouant au hockey dans le magasin.

3

LA MORT DE MONTCALM

Huit heures moins dix.

J'étais en avance. Pour reconnaître les lieux, je roulai très lentement devant la maison de la femme à la voix douce. Ensuite, je garai la Mini Cooper dans la rue qui longe le parc Jeanne-d'Arc et j'attendis l'heure du rendez-vous. Les jardiniers avaient installé les fleurs dans les plates-bandes. En ce début de mai, il faisait encore jour.

À l'heure convenue, je sortis de l'auto et me dirigeai vers la rue de Bernières. Dans la mallette que je tenais à la main, j'apportais le recueil de Carver et, par précaution, deux autres livres du même auteur. Cette fois, je regardai plus attentivement la maison. Elle était en briques, à trois étages ; le dernier, percé d'une lucarne, semblait être un grenier.

Dans l'entrée, il y avait deux boîtes aux lettres, sur lesquelles n'étaient inscrits que les chiffres 1 et 2. La femme ne m'avait pas dit que la maison abritait plusieurs personnes. Après un moment d'hésitation, je tapai le digicode. La porte des étages s'ouvrit et je me trouvai devant un escalier à ma droite et un logement à ma gauche. Ce dernier, d'après une plaque fixée sur le cadre de la porte, était occupé par un architecte. Alors je m'engageai dans l'escalier.

Quand j'arrivai sur le palier, mon cœur se mit à battre plus vite. En face de moi se trouvait un appartement dont la porte était entrouverte. Je toussotai pour annoncer ma présence. Aucun bruit ne venait de l'intérieur. Il y avait un bouton de sonnette, mais il était recouvert d'un morceau de ruban adhésif. Je toquai trois fois sur le cadre de la porte. Trois petits coups, et pourtant le bruit résonna très fort. J'eus le sentiment que tout le monde m'avait entendu dans la maison et que les gens tendaient l'oreille pour écouter la suite.

Rien ne bougeait dans l'appartement. Posant ma mallette sur le sol, je m'assis dans l'escalier. La femme était probablement sortie pour faire une course de dernière minute. Pourquoi avait-elle laissé la porte ouverte ?... Voulait-elle m'inviter à entrer et à m'asseoir en attendant son retour ? Mais non, elle aurait laissé un petit mot.

Ma montre indiquait huit heures quinze. Je décidai d'attendre quelques minutes, mais il valait mieux le faire dehors plutôt que de rester là, devant une porte ouverte, comme un intrus ou un voleur. Avant de partir, je frappai encore trois coups sur le cadre de la porte – un peu plus fort que la première fois. Il n'y eut pas de réponse, alors je repris ma mallette et sortis.

La tête pleine de questions, je m'assis sur un banc à la lisière des Plaines d'Abraham. Tout en surveillant l'entrée de la maison, je pris le recueil de Carver dans la mallette et commençai à lire la nouvelle dont la femme avait parlé. Pour réchauffer ma gorge, je lisais à voix haute, m'efforçant de placer les intonations aux bons endroits, de garder un rythme de lecture constant et de ne pas rater les liaisons. Je suis assez maniaque. Toutes les dix secondes, je jetais un coup d'œil à la maison.

La femme ne revenait pas.

Le jour déclinait et la lumière était moins bonne. Je fermai le livre. Comme toutes les fois où j'hésitais sur la conduite à suivre, je me demandai ce que mon frère Jack aurait fait à ma place. Sa détermination était un exemple pour moi.

Au téléphone, il m'avait expliqué qu'il travaillait très fort sur un roman dont le thème était la place du français en Amérique. Il avait étudié à fond la défaite des Plaines d'Abraham. La bataille, qui n'avait duré qu'une demi-heure, s'était déroulée à quelques mètres derrière moi. Le marquis de Montcalm avait été tué, le Canada était devenu un pays britannique et, depuis lors, nous avions tous la mort dans l'âme : c'étaient les mots de mon frère.

Huit heures cinquante. Plus le temps passait, plus il devenait évident que la femme n'était pas allée faire une course. Elle avait eu un accident, elle était tombée et gisait par terre, sans connaissance. Immédiatement, je retournai à la maison et grimpai l'escalier. Et cette fois, j'entrai dans l'appartement.

Une grande pièce de séjour. Il n'y avait personne. La première chose que je notai, ce fut le désordre. Des livres traînaient ici et là, sur une table à café, sur un divan, et même sur le tapis. La plupart étaient ouverts. Curieusement, je ne voyais que des dictionnaires ou des encyclopédies. Sur les rayons de la bibliothèque, je reconnus les six volumes rouges du *Grand Robert de la langue française*.

Tout à coup, je m'avisai que je n'avais même pas demandé s'il y avait quelqu'un. Je me hâtai de le faire, d'une voix tremblante qui me déplut. Personne ne répondit. Ne pouvant oublier l'image de la femme étendue par terre, je me dirigeai vers un couloir.

Du côté droit, je trouvai une porte grande ouverte : c'était la cuisine. Une odeur de vrai café émanait de la pièce. Il y en avait une tasse à peine entamée sur la table. Plus loin, dans le couloir, je vis deux autres portes, fermées toutes les deux. En poussant la première, j'arrivai dans une salle de bains. Je retenais mon souffle à cause de l'image que j'avais en tête. Mais je me trompais, la pièce était vide.

La dernière porte donnait sur une chambre à coucher. Je restai sur le seuil, prêt à déguerpir au moindre bruit venant du hall d'entrée ou de l'appartement d'en bas. Un rideau de dentelle couvrait la fenêtre. Un peignoir était étendu sur le pied du lit. Il y avait des fleurs séchées et l'air était imprégné d'une odeur de lavande.

Personne n'était là, mais j'avais le sentiment de commettre une indiscrétion. Alors je battis en retraite et sortis de la maison aussi vite que possible.

En quittant ma place de stationnement, je vis dans le rétroviseur que la vieille Mini Cooper laissait des traces de rouille sur l'asphalte. L'absence de la femme m'avait attristé. De retour chez moi, j'espérais trouver un message sur le répondeur, mais il n'y en avait pas.

4

LIMOILOU ET *LE PONEY ROUGE*

Ce samedi-là, comme d'habitude, je me rendis à l'île d'Orléans. J'allais faire la lecture à Limoilou, une très jeune fille en convalescence. Elle habitait un chalet avec une amie de mon frère qui s'appelait Marine.

La vie est compliquée. Bien que Marine soit de mon âge, ce n'est pas moi qu'elle aime : elle est amoureuse de mon frère Jack. D'origine irlandaise, elle a une belle tignasse rousse, les yeux verts et un caractère emporté ; on ne peut pas lui dire n'importe quoi.

Marine et mon frère ont pris la jeune Limoilou sous leur protection. En réalité, c'est Marine qui s'en occupe : Jack écrit son roman ; il vit dans un autre monde.

En route vers le chalet, je me remémorais les conseils que Marine m'avait donnés à l'occasion de ma première visite. Quand tu sors du pont de l'île, tu montes la grosse côte et tu tournes à gauche. Ne va pas trop vite si tu veux apercevoir la grange de Félix et l'enseigne sur laquelle on le voit de dos, courbé sur sa guitare. Ensuite tu traverses un village. Trois kilomètres plus loin, tu empruntes un petit chemin de terre qui se glisse entre une maison rectangulaire de couleur beige et un poteau de téléphone. Le chemin descend en pente douce pour commencer. Appuie quand même sur les freins et prends le temps de regarder les fleurs qui poussent en bordure des champs cultivés. Tu vas passer devant un bouleau solitaire qui sert de relais aux oiseaux, comme les hôtels accueillent les voyageurs. À l'endroit où la pente devient abrupte, il y a un peuplier faux-tremble dont les feuilles s'agitent à la moindre brise avec un bruit de papier froissé. Ensuite, la côte est encore plus raide et tu découvres le chalet situé dans une érablière et, juste à côté, l'étang et le quai sur pilotis.

Je garai mon auto derrière la Jeep de Marine. Les deux filles se promenaient au bord de l'étang avec les chats : le petit chat noir et la vieille chatte nommée Chaloupe à cause de son gros ventre qui se balance.

Marine me fit un signe de la main, puis s'assit au bout du quai. Limoilou vint à ma rencontre, suivie du chat noir qui courait la queue en l'air. Elle portait une longue robe à fleurs et marchait pieds nus dans l'herbe. Quand elle me tendit la main, je fis semblant de ne pas voir la cicatrice qu'elle avait au poignet.

Limoilou allait un peu mieux, sur le plan physique en tout cas. Avec Marine, pendant l'hiver, elle avait patiné sur l'étang et parcouru à skis les sentiers avoisinant le chalet. Elle avait repris des forces. De mon côté, je lui lisais des textes depuis le printemps, c'est-à-dire depuis que la neige avait fondu sur le chemin de terre. Lorsque celui-ci était impraticable à cause de la boue, Marine venait me chercher avec sa Jeep. Elle accordait une grande importance à mes visites. Une fois, dans un moment d'exaltation, elle avait dit que les séances de lecture étaient une forme de thérapie.

La jeune fille prit le chat noir dans ses bras, poussa la porte du chalet et je la suivis à l'intérieur. J'étais un lecteur professionnel, et pas seulement un petit frère, alors il n'était pas question d'être ému ou d'avoir le trac. Dans le solarium, je posai ma mallette sur la table de travail de Marine, qui était encombrée de dictionnaires français-anglais. L'amie de mon frère exerçait le métier de traductrice ; elle achevait la version anglaise de son dernier roman.

Limoilou s'installa sur une chaise longue. Le chat noir avait couru à la cuisine et on l'entendait manger des croquettes. La fille était silencieuse comme d'habitude. Elle m'avait dit bonjour en me serrant la main, et c'est tout. Je pris mon livre et m'assis dans une berceuse, puis j'attendis le retour du chat. Quand il grimpa sur le ventre de Limoilou, je commençai ma lecture. C'était, entre elle et moi, un rite ou quelque chose de ce genre.

Je lui lisais *Le poney rouge*, de monsieur Steinbeck. Ce livre racontait l'histoire d'un petit garçon «rêveur et solitaire», nommé Jody, qui vivait avec ses parents dans un ranch de la Californie. Son père lui avait fait cadeau d'un poney. Il essayait de le dresser avec l'aide de Billy Buck, un homme d'écurie.

C'est moi qui avais choisi ce roman, puisque Limoilou n'avait pas indiqué ses préférences. Mon choix s'appuyait sur le fait qu'elle aimait la compagnie des chevaux : j'avais eu l'occasion de le constater dès ma première visite. Ce jour-là, en me faisant voir les alentours, les deux filles m'avaient entraîné dans un sentier tortueux et encombré de grosses pierres qui s'ouvrait derrière le chalet et permettait de descendre une falaise. En bas, nous avions débouché sur plusieurs champs séparés par des rangées de salicaires. L'un des champs, entouré d'une clôture électrique, servait de pâturage à un groupe d'anciens chevaux de course. Limoilou s'était glissée entre deux fils. Elle avait caressé le museau des chevaux, leur avait donné des petits fruits à manger au creux de sa main. D'après Marine, elle prenait le temps de leur raconter les années malheureuses qu'elle avait vécues au cours de sa brève existence.

Dans le livre de Steinbeck, le jeune Jody n'avait pas la vie facile lui non plus. Comme le disait l'auteur, « son père était un homme strict en matière de discipline ». Avant de partir pour l'école, le petit garçon de dix ans devait nourrir les poules et le bétail, remplir le coffre à bois et s'occuper du poney, c'est-à-dire l'étriller, le brosser, lui tresser la crinière et commencer les séances de dressage.

Tout en lisant le texte, qui était plein de détails concrets, j'essayais de voir les réactions de Limoilou. Ses doigts caressaient le chat noir sous le menton. Avec ses cheveux très courts, ses yeux cernés, ses pieds minces et délicats et la petite veine bleue qui battait à sa tempe gauche, elle était à la fois belle et émouvante.

Les yeux mi-clos, elle regardait vaguement dehors, en direction de Marine. Toutes les filles m'intimident, même les plus jeunes, et je n'aurais pas été capable de lui faire la lecture d'une voix professionnelle si son visage avait été tourné vers moi. En plus, dans mon histoire, le poney attrapait froid après avoir passé une nuit sous la pluie ; les choses prenaient une mauvaise tournure et j'ignorais comment Limoilou allait réagir.

Quand j'étais petit, une servante venait parfois aider ma mère à faire le ménage. Elle s'appelait Marie-Ange. Dans la cuisine, après le souper, elle nous racontait les aventures très anciennes de Ti-Jean et des Géants. C'étaient des histoires qui me faisaient très peur. Je sais à présent qu'elles me donnaient aussi du courage et m'aidaient à vivre.

5

LES QUATRE SIMONE

Le goût de la lecture me vient de loin.

L'année où il résolut d'agrandir la maison, mon père construisit deux bibliothèques, une à chaque bout d'une galerie vitrée, inondée de soleil, qui s'étendait au-dessus du magasin. Il n'y avait pas de meilleur endroit pour lire, mais on y trouvait surtout des revues telles que *Life, Paris-Match* et *Sélection du Reader's Digest.*

Les vrais livres, je les découvris plus tard, lorsque je devins l'assistant d'un oncle qui faisait une tournée en bibliobus. C'était un original que tout le monde appelait « le Chauffeur ». Il avait conçu le projet d'apporter de la lecture aux gens des régions éloignées qui n'avaient pas accès à une bibliothèque municipale.

Son véhicule était un ancien camion de laitier qu'il avait aménagé de ses propres mains. Les étagères étaient légèrement inclinées vers l'arrière pour éviter que les livres ne dégringolent au cours des déplacements. Et comme elles étaient montées sur des rails, on n'avait qu'à les pousser si on voulait se servir du coin-cuisine ou du lit escamotable. Le bibliobus était également un camping-car.

Mon oncle avait besoin d'un adjoint parce qu'il entreprenait son plus long périple de l'été. Il s'en allait dans Charlevoix et sur la Côte-Nord, puis il traversait le fleuve à Sept-Îles et poursuivait son voyage en faisant le tour de la Gaspésie.

Quand nous arrivions dans un village, le Chauffeur installait le bibliobus à l'endroit le plus en vue, c'est-à-dire devant l'église ou sur le quai. J'ouvrais les deux portes arrière et j'abaissais le marchepied. Si les lecteurs tardaient à venir, j'avais l'autorisation de flâner aux alentours. Parfois je prenais un *Tintin* et j'allais le lire au bord du fleuve. Les autres livres ne m'attiraient pas beaucoup, sauf ceux qui parlaient de sport. J'avais quinze ans.

Un jour que nous discutions de nos lectures, le Chauffeur attira mon attention sur une petite section consacrée au domaine sportif. Ce n'était pas la saison du hockey, mais je choisis un livre qui parlait d'Henri Richard. Je l'emportai sur la grève.

Henri Richard était un petit frère comme moi. Quand il avait commencé sa carrière avec les Canadiens de Montréal, l'équipe était dominée depuis longtemps par son frère Maurice. Celui-ci détenait des records et ses exploits étaient légendaires. On racontait qu'il avait marqué un but en traînant un adversaire sur son dos. Et un jour qu'il s'était éreinté à déménager des meubles, il avait obtenu cinq buts et trois aides, bien qu'il eût prévenu ses coéquipiers : « Les gars, ne comptez pas trop sur moi, ce soir. »

Sans le vouloir, Maurice Richard était devenu l'idole des Canadiens français, le sauveur de la nation, celui qui pouvait nous venger de la défaite des Plaines d'Abraham. Ses prouesses ne m'étaient connues que par les récits de mon père et par des documentaires en noir et blanc. Il ne m'en fallait pas davantage, toutefois, pour savoir que le jeune Henri n'avait aucune chance d'égaler les résultats de son illustre frère. Il était dans la même situation que moi par rapport à Jack.

D'après mon livre, Henri Richard était plus petit et plus léger que Maurice. Il ne parlait pas l'anglais et ne disait pas un mot dans le vestiaire. Mais, sur la patinoire, il était très rapide. Il avait son propre style : il marquait un grand nombre de buts en s'appuyant de tout son poids sur l'adversaire qui tentait de le mettre en échec. Ses succès me réchauffaient le cœur et, par moments, j'avais l'impression de grandir à travers lui.

Longtemps, je ne me suis intéressé qu'aux sports. Mon travail au bibliobus, cependant, m'a permis de faire une découverte. En observant les lecteurs, ou plutôt les lectrices, j'ai bien vu que leur comportement à l'égard des livres sortait de l'ordinaire. Je pense en particulier à une femme qui s'appelait Simone.

Depuis deux jours, nous étions à Rivière-au-Tonnerre, sur la Côte-Nord. Le Chauffeur avait garé le bibliobus à l'entrée du quai. Le temps était au beau fixe et l'air sec permettait de voir loin. Mon oncle se proposait d'aller souper à Havre-Saint-Pierre, le village qui, à cette époque, se trouvait au bout de la route. Mais il retardait le départ : Simone n'était pas arrivée.

Le Chauffeur n'arrêtait pas de regarder sa montre. Pour passer le temps, il descendit sur la grève, enleva ses chaussures et fit quelques pas dans le sable. Je le regardais, assis à l'arrière du bibliobus, les jambes ballantes. D'habitude, c'était le contraire : il demeurait dans le véhicule, et moi je me promenais au bord de l'eau. Mais ce jour-là, je voulais partir au plus vite, car j'étais curieux de voir le fameux « bout de la route ».

Enfin, Simone arriva en vélo, la jupe retroussée, les genoux lançant des éclairs à chaque coup de pédale. Elle me salua et s'excusa d'être en retard. Mon oncle m'avait dit deux choses à son sujet. Elle portait le prénom de trois femmes que sa mère admirait : Simone de Beauvoir, Simone Signoret et Simonne Chartrand. Et elle était si belle qu'on ne pouvait l'oublier une fois qu'on l'avait vue.

Son vélo était un CCM rose à pneus ballons avec un panier accroché au guidon. Elle sortit du panier une pile de volumes qu'elle déposa entre mes bras. Le Chauffeur accourut, tout essoufflé, tenant encore ses chaussures à la main. Il lui donna le bras pour l'aider à monter dans le bibliobus. Ensuite, tous les deux, nous fûmes incapables de la quitter des yeux.

Elle se déplaçait lentement devant les étagères. Au début, elle ne touchait pas aux livres, elle les regardait seulement, les mains dans le dos. Parfois elle mettait un genou en terre pour examiner les rayons du bas, et je cessais de respirer à cause de sa jupe courte.

Au bout d'un moment, elle s'arrêta devant un livre. Elle lui caressa le dos avec son doigt, pencha la tête de côté pour lire le titre, puis elle le prit dans ses mains. Et, je le jure, pendant qu'elle lisait la première page, une lueur brillait dans ses yeux. Une vraie lueur, et non pas une sorte de jet lumineux comme on en voit dans les films de science-fiction. Tout son visage était éclairé.

Plus tard, au retour du voyage, j'ai fait le lien avec le soleil qui inondait la galerie vitrée où je m'installais pour lire, chez nous, à la campagne. Dès lors, pour retrouver cette lumière, j'ai lu tous les livres qui me tombaient sous la main.

6

COMME UN VOLEUR

Je me réveillai en sursaut. Il était cinq heures du matin. J'avais rêvé à la mystérieuse femme de la rue de Bernières.

Dans mon rêve, c'était l'aube. La femme sortait de son appartement sans se soucier des livres éparpillés et sans fermer la porte. Elle était vêtue d'une longue robe en mousseline avec un capuchon relevé. On la voyait de dos, elle descendait l'escalier sans faire de bruit, glissant sur les marches comme un fantôme. On n'apercevait ni ses pieds, ni ses mains, ni le reste de son corps.

La femme arrivait sur les Plaines d'Abraham.

Des nappes de brouillard se dispersaient dans les premiers rayons du soleil. On distinguait des soldats couverts de sang qui gisaient dans l'herbe, agitant les bras pour obtenir de l'aide. Elle passait au milieu des blessés sans les voir et semblait indifférente à leurs souffrances. Quelques instants plus tard, elle s'engageait dans un sentier qui descendait la falaise. Parvenue à l'anse au Foulon, elle montait dans une barque, puis dans un grand voilier qui arborait un pavillon fleurdelisé.

Mon rêve se figeait sur une dernière image : la femme était à la proue du voilier, et celui-ci, doublant la pointe de l'île d'Orléans, mettait le cap sur le golfe et la vieille Europe.

Subjugué par cette vision, je fus incapable de me rendormir. Je m'assis dans mon lit. J'entendais encore le gémissement des blessés, mais c'était seulement le vent qui sifflait à la fenêtre de ma chambre. Je me levai et avalai un plat de corn flakes avec des fraises que j'avais fait décongeler la veille. Ensuite je me préparai un café, mais au lieu de le boire, j'écrivis deux phrases sur un bout de papier que je glissai dans la poche de mon coupe-vent. Puis je descendis au sous-sol et sortis de l'immeuble au volant de la Mini Cooper.

Cette fois, je me garai près du musée des Beaux-Arts. Je remontai la rue de Bernières en marchant très lentement. Il y avait du brouillard sur les Plaines, mais rien de comparable à ce que j'avais vu en rêve. Je croisai deux joggers qui couraient côte à côte.

J'étais presque certain que la femme, après une absence plus longue que prévu, avait regagné son domicile. La note que j'avais rédigée et que je me proposais de glisser sous sa porte, disait tout simplement :

Chère Madame,

Je n'ai pas eu le plaisir de faire votre connaissance, avant-hier, quand je suis passé chez vous à l'heure convenue. Appelez-moi si

*vous souhaitez toujours obtenir une séance de
lecture.*

Francis

À cause de l'heure matinale, je ne fus pas étonné
de n'entendre aucun bruit dans la maison. En
montant l'escalier, je tâchai d'éviter les marches
qui craquaient. Sur le palier, je constatai avec
surprise que la porte de l'appartement était restée
entrouverte.

Je demeurai interdit. La seule chose que j'avais
dans l'esprit, c'était une chanson, celle qui dit : « Si
toi aussi tu m'abandonnes » et qui revient d'une
manière obsédante dans le film *Le train sifflera
trois fois.* J'étais inquiet et un peu triste. Comment
était-il possible qu'un appartement reste ouvert
pendant deux jours ou presque sans que personne
s'en aperçoive ?... Est-ce que la femme avait été
enlevée ?... Fallait-il prévenir la police ?

Ne trouvant aucune réponse à ces questions,
j'entrai sans frapper. J'enlevai mes sandales pour
ne pas réveiller le voisin d'en bas et je fis quelques
pas dans le séjour. Rien n'avait changé. Le
même désordre. Des livres qui traînaient ici et là,
uniquement des dictionnaires et des encyclopédies.
Comme j'étais moins énervé que la fois précédente,
il me parut étrange qu'une personne s'intéressant
aux nouvelles de Carver ne possède aucune œuvre
littéraire dans sa bibliothèque.

À la cuisine, je retrouvai la tasse de café sur
la table. Dans la chambre à coucher, le peignoir

était resté sur le pied du lit, et l'odeur de lavande imprégnait toujours la pièce.

Quand j'entrai dans la salle de bains, où je n'avais jeté qu'un rapide coup d'œil la première fois, je vis qu'il y avait une carte géographique sur un mur, derrière la porte. En m'approchant, je constatai qu'il s'agissait d'un plan de Paris. Je l'avais déjà vu en feuilletant mon *Petit Larousse*.

Au bas du plan, fixée avec deux punaises, je remarquai une coupure de journal. Je la parcourus des yeux. C'était un extrait du journal *Le Monde* intitulé « La pensée française ». L'auteur de l'article faisait observer que la carte de Paris, séparée en deux parties distinctes par la Seine, reproduisait assez fidèlement les deux hémisphères du cerveau humain.

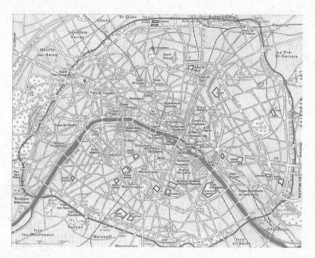

Sur le rebord de la baignoire et sur une tablette située au-dessus des robinets s'étendait une série de petits pots, de flacons et de fioles qui variaient par la forme et la couleur. Il s'en dégageait un parfum que je n'avais pas senti lors de ma première visite. En un instant, un souvenir très ancien me revint en mémoire.

Allongé sur le lit de mes parents, la tête entre les mains, je regardais ma mère. J'avais peut-être cinq ans. Elle était installée devant sa coiffeuse et portait une combinaison blanche à bretelles qui lui laissait les bras nus. Les yeux fixés sur un miroir à trois volets, elle se fardait les joues, se mettait du rouge à lèvres, se parfumait. L'odeur qui se répandait dans la chambre était enivrante, je trouvais ma mère très belle et je n'aurais cédé ma place pour rien au monde.

Dans la salle de bains, un craquement me ramena sur terre. Il semblait venir de la pièce du haut qui m'avait parue, peut-être à tort, inhabitée. Aussitôt, je pris la fuite. En repassant par le séjour, toutefois, je m'arrêtai net : un petit cahier se trouvait sur la table du téléphone. Je regardai de plus près. C'était un carnet d'adresses, ouvert à la lettre « L ». Je vis mon nom, « Le Lecteur », et mon numéro de téléphone.

Je me mis à réfléchir. Si l'absence de la mystérieuse femme se prolongeait et que la police était prévenue, la première chose que ferait un inspecteur en entrant dans l'appartement, ce serait de prendre le carnet. Il poserait certainement des questions aux personnes dont le nom y figurait. Que faisiez-vous ce jour-là ? Avez-vous des témoins ? Quels sont vos rapports avec cette femme ?...

Pas de temps à perdre, je mis le carnet dans ma poche et quittai la maison comme un voleur.

7

DES NUAGES QUI S'EFFILOCHENT

Mon frère Jack est un maniaque du travail. Son roman avance et, peu à peu, engloutit sa vie.

Du haut de la Tour, il m'appelle de plus en plus souvent pour que je lui rafraîchisse la mémoire. Par exemple, il oublie les dates des principaux événements qui jalonnent l'histoire du Canada et des États-Unis. Je dresse des listes et des tableaux afin qu'il les affiche sur les murs de son appartement.

Le soir, au moment de s'endormir, il ne peut s'empêcher de penser à la dernière phrase qu'il a laissée en suspens et, tout à coup, les mots arrivent. Il se lève en maugréant. Pour éviter de se réveiller complètement, il n'allume pas la lumière. Il se dirige à tâtons vers la table de la cuisine, prenant garde de ne pas trébucher sur l'aspirateur qui traîne toujours dans le couloir. Assis au bord d'une chaise, il griffonne quelque chose sur un bout de papier ou au verso d'une enveloppe. Ensuite il retourne se coucher.

Parfois, c'est à peine s'il a reposé sa tête sur l'oreiller que les mots reviennent : à présent, ils sont groupés, ils forment des phrases qui s'enchaînent les unes aux autres. Une chance pareille n'arrive pas souvent et il faut en profiter. Alors il se relève, allume sa lampe de bureau et passe la nuit à travailler.

C'est au téléphone, un samedi matin, que Jack me racontait les petites misères de son métier. Du même souffle, il me demanda si je voulais bien le conduire à l'île d'Orléans. Il n'avait pas vu Marine et Limoilou depuis trois semaines. J'acceptai puisque, de toute manière, je devais m'y rendre pour faire la lecture à Limoilou. À ce propos, il voulait me prêter un ouvrage dont il s'était servi pour son roman, et il me conseillait d'en lire des extraits à sa jeune protégée. C'était un texte de Lewis et Clark, intitulé *Far West,* que notre sœur lui avait offert au retour d'un voyage. Le cadeau était accompagné d'une carte postale où elle avait écrit : « Mon cœur est avec toi sur les routes de l'Amérique française. »

Je conduisais la Mini Cooper en direction de l'île au moment où Jack me rapporta cette phrase. Elle me rendit jaloux, car j'étais très attaché à celle que j'appelais toujours « Petite sœur ». Pour ne pas le laisser voir, je demandai à mon frère de me parler du texte de Lewis et Clark. Je ne savais rien de ces deux hommes, sinon qu'ils étaient des explorateurs et qu'ils avaient atteint le Pacifique à une époque où l'on connaissait très mal les vastes espaces de l'Ouest américain.

Jack eut la gentillesse de ne pas me noyer sous un flot de renseignements. Il se contenta de préciser trois points : l'expédition de Lewis et Clark, imaginée par le président Jefferson, avait été menée de 1804 à 1806; elle visait à découvrir une voie fluviale qui débouchait sur le Pacifique; elle avait commencé au lendemain de la cession de la Louisiane aux États-Unis.

En prononçant le mot «Louisiane», mon frère écarta les deux bras. Nous roulions sur l'autoroute, non loin de la bretelle qui donne accès au pont de l'île. Comme la matinée était tiède, nous avions baissé les vitres de la Mini Cooper. Le bras droit de Jack sortait largement par la fenêtre, et sa main gauche, qui s'agitait devant mon visage, m'obstruait la vue. Au moment où je m'engageais sur le pont, il me fallut donner un coup de volant à droite pour éviter un camion qui venait en sens inverse. Mon frère ne s'aperçut de rien. Je ne l'avais jamais vu aussi énervé. Il gesticulait en m'expliquant que la Louisiane du XVIIIe siècle occupait presque la moitié du territoire américain: elle s'étendait des Grands Lacs au golfe du Mexique, et du Mississippi aux Rocheuses.

Cette immense région appartenait à la France. Elle avait été explorée par des gens que je connaissais, Marquette et Jolliet, puis Cavelier de La Salle, et par d'autres qui m'étaient inconnus, comme Henri de Tonty et Louis Hennepin. Pour éviter une plus longue énumération, je demandai à mon frère s'il croyait vraiment que l'œuvre de Lewis et Clark pouvait intéresser la jeune Limoilou.

Il cessa d'agiter ses bras et les croisa sur sa poitrine.

— Je vais te répondre, dit-il, mais j'ai encore deux ou trois choses à raconter.

— Tu peux y aller.

— Quand les Français ont débarqué en Amérique, ils ne se sont pas contentés de bâtir des fortifications pour se mettre à l'abri du froid et des Iroquois. Ils ont appris les langues des autochtones. Pour faire la traite des fourrures, ils ont voyagé en canot et se sont mariés avec des Indiennes. Surtout, ils ont exploré le pays, ils l'ont parcouru en tous sens. Je veux dire, ils aimaient l'aventure. Ils aimaient la liberté.

Sur ce mot, qui fit résonner dans ma tête les premières mesures d'une chanson de Georges Moustaki, mon frère se tut. Je devinai qu'il n'était plus là, qu'il était retourné dans son roman. Par respect, je gardai moi aussi le silence. Puis, comme nous approchions du chemin de terre, je lui rappelai doucement qu'il n'avait pas répondu à ma question.

— Excuse-moi, dit-il. La dernière fois que je suis allé au chalet, j'ai parlé de mon roman avec Marine. La jeune Limoilou était avec nous et elle a posé un tas de questions sur les Indiens et les Français. Tu vas voir, ils occupent une place importante dans l'œuvre de Lewis et Clark. Au fait, il s'agit d'un journal de voyage, j'oubliais de le mentionner.

Ce n'était pas la seule chose qu'il oubliait. Je n'ai rien dit parce que je suis un petit frère, mais il ne tenait pas compte du fait que je préparais toujours mes séances de lecture avec le plus grand soin. J'étais lecteur professionnel. Il n'était pas question que je me présente chez quelqu'un sans avoir acquis une bonne maîtrise du texte.

Nous étions arrivés. Jack fouilla dans un sac d'épicerie qui contenait ses affaires et en sortit deux livres.

— Je ne t'ai pas dit que le journal comprenait deux volumes : un pour l'aller et l'autre pour le retour.

— C'est pas grave, marmonnai-je.

Marine et Limoilou étaient dans le chalet. Elles nous regardaient par la grande fenêtre de la cuisine. Avant de les rejoindre, mon frère ajouta qu'il avait mis dans ses affaires une carte de la Louisiane pour que Limoilou puisse suivre le trajet des explorateurs.

Je restai seul dans l'auto. Ravalant ma mauvaise humeur, j'ouvris le premier volume. Sur la couverture, on voyait un Sioux en costume de guerre, un tomahawk à la main. J'appuyai le livre sur le bas du volant et je parcourus la préface, essayant d'en apprendre le plus possible sur les préparatifs de l'expédition. Puis je commençai la lecture du journal. Je lisais à voix haute en essayant de faire ressortir la sonorité des mots et le rythme des phrases. En même temps, je cherchais des passages qui pouvaient éveiller l'intérêt de Limoilou.

Par intervalles, je levais la tête pour voir si l'on commençait à s'inquiéter de mon retard. Ma lecture avançait. J'avais souligné plusieurs paragraphes et j'étais assez fier de moi. Tout à coup, Jack et Marine sortirent du chalet sans me regarder. Mon frère tenait sous le bras un sac de couchage bleu foncé. Précédés de la vieille Chaloupe et serrés l'un contre l'autre, ils descendirent l'étroit sentier bordé de fleurs qui longeait l'étang.

J'allais me remettre à lire, quand je m'aperçus que Limoilou m'observait derrière la porte-moustiquaire du solarium.

Elle m'attendait.

Je fermai le volume en mettant mon index à la page que j'avais l'intention de lui lire pour commencer. La première chose que je remarquai, dans le chalet, ce fut la carte de la Louisiane que mon frère avait affichée près de la porte donnant sur la cuisine. Elle était impressionnante :

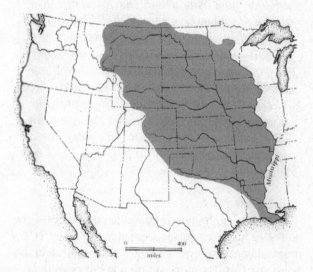

Quand nous fûmes bien installés tous les deux, elle sur sa chaise longue et moi dans la berceuse, j'attendis quelques instants afin de respecter notre rituel : le recueillement, les yeux fermés, le chat noir sur son ventre. Mais cette fois, elle déclara d'une voix résolue :

— Je suis prête !

Alors, en détachant les mots, je lus le début du journal :

Tous les préparatifs terminés, nous avons levé le camp ce lundi 14 mai 1804. Nous sommes à l'embouchure de la rivière Dubois, un petit cours d'eau qui se jette dans le Mississippi, en face de l'embouchure du Missouri. J'ai décidé de pousser jusqu'à Saint Charles, un village français situé à sept lieues au bord du Missouri, et d'attendre en cet endroit que le capitaine Lewis, retenu à Saint Louis par quelques affaires, puisse nous rejoindre.

Départ à 4 h de l'après-midi, en présence d'une foule nombreuse. Poussés par une brise légère, nous avons remonté le Missouri jusqu'à la pointe supérieure de la première île. Une forte pluie dans l'après-midi.

Je fis une pause.

C'était toujours pareil quand je commençais une nouvelle histoire : je me demandais quel effet les mots allaient produire. Parfois ils construisaient des ponts, parfois des murs, on ne pouvait pas savoir.

Limoilou s'agitait sur sa chaise.

— Dans ton histoire, dit-elle, il y a une personne qui raconte. Tu peux me dire qui c'est ?

— C'est le capitaine Clark, dis-je.

— Ah oui, ils sont deux explorateurs, Lewis et Clark. Ton frère Jack me l'a dit quand il a posé l'affiche.

— Qu'est-ce qu'il t'a dit, à part ça ?

— Qu'ils vont remonter le Missouri et se rendre au Pacifique, et qu'ils vont vivre toutes sortes d'aventures, surtout à cause des Français et des Indiens.

— Est-ce qu'il t'a parlé d'une Indienne de la tribu des Shoshones ?

— Non.

— Elle s'appelle la Femme-Oiseau. Je pense que tu vas beaucoup l'aimer.

— Ah oui ?

Elle m'adressa un sourire timide. Un peu comme le soleil qu'on entrevoit, l'espace d'une seconde, derrière des nuages qui s'effilochent. C'était la première fois qu'elle posait des questions et que son visage s'éclairait. Du coup, mon âme de lecteur se trouva plus légère et je fis du bon travail jusqu'à la fin de la séance.

Il était près de midi. Je voulais saluer Jack et Marine avant de partir. En me dirigeant vers l'étang, je les aperçus de loin. Ils s'étaient enfouis dans le sac de couchage, et celui-ci, roulant sur lui-même, descendait la pente douce menant à la jonction des ruisseaux que nous appelions la «Croisée des Murmures». Pour la deuxième fois de la journée, je sentis entrer dans mon cœur une pointe de jalousie, et ce sentiment l'emporta sur le bien-être que mon travail m'avait procuré.

Le soleil ne brille pas très longtemps pour les petits frères.

8

LA PANTHÈRE NOIRE

Ma clientèle ne se limitait pas à Limoilou. Elle s'élargissait de plus en plus, je suis fier de le dire. En outre, il m'arrivait de faire des lectures publiques, à la radio, dans les écoles ou devant des cercles littéraires.

Je lisais parfois les romans de mon frère, car il refusait d'en assurer la promotion. Il valait mieux, selon lui, que le livre occupe l'avant-scène et que l'auteur reste en arrière, le plus loin possible. Il ne se considérait pas comme un homme public, et l'idée d'être reconnu dans la rue lui faisait horreur. Non seulement il ne donnait aucune entrevue, mais il fulminait contre les écrivains qui, dans les médias, expliquaient le sens de leurs textes et discouraient sur leur enfance, leur orientation sexuelle et leurs recettes de cuisine. Il aimait beaucoup les derniers mots du texte écrit par Hemingway à l'intention du jury qui lui accordait le prix Nobel.

> *I have spoken too long for a writer.*
> *A writer should write what he has to say*
> *and not speak it.*
> *Again I thank you.*

Jack avait une tête de mule et je ne tentais même pas de lui faire comprendre que son attitude était une forme d'autodestruction. Je m'efforçais plutôt de contribuer modestement à la diffusion de ses livres, soit en les lisant à quelqu'un, soit en les «oubliant» dans des endroits publics.

L'un de mes clients, à cette époque, était un enfant malade. J'allais le voir à l'hôpital Laval, où il attendait une opération qui devait corriger une malformation cardiaque. Il avait douze ans. C'est sa mère qui avait trouvé mon annonce dans le *Journal de Québec*.

Lui faire la lecture m'obligeait à prendre quelques précautions. Comme une valve de son cœur ne fonctionnait pas normalement, on voulait éviter qu'il n'attrape un microbe. À l'exemple des médecins et des infirmières, je devais porter un masque en coton, une longue blouse verte et des chaussons en papier. Son nom était Alexandre, mais tout le monde l'appelait Alex, ce qui, de toute évidence, convenait mieux à sa petite taille. Il était seul dans une chambre. Sa mère avait décoré les murs avec des dessins faits par ses frères et sœurs. Un ours en peluche, auquel il manquait un œil, était assis sur la tablette d'une fenêtre.

Quand j'entrais dans la pièce, ma gorge se nouait. Des électrodes étaient fixées à la poitrine et aux poignets de l'enfant. Au-dessus de sa tête, un écran permettait de suivre les battements de son cœur. L'appareil émettait une sorte de grésillement que j'oubliais aussitôt que j'avais commencé à lire.

Je lisais *Le tigre et sa panthère,* un roman de la collection « Signes de piste » que j'avais découvert, quand j'étais petit, dans le bibliobus de mon oncle. L'auteur était monsieur Guy de Larigaudie. Son livre racontait l'histoire d'un jeune scout, dont le totem était « Le Tigre », qui entreprenait un voyage en bateau vers l'Inde et les pays de l'Extrême-Orient. À la suite d'un naufrage, il se retrouvait seul sur une plage déserte. La nuit tombait. Il entendait le rugissement d'une bête sauvage.

En levant les yeux de mon texte, je vois que l'enfant malade s'est calé dans ses oreillers et qu'il a remonté les couvertures jusqu'à son cou. Je regarde l'écran avec inquiétude. Autant que je puisse en juger, le rythme cardiaque est normal, alors je poursuis ma lecture.

Le Tigre estime plus prudent de dormir sur la grève. Il choisit un endroit à mi-chemin entre le début de la végétation et la ligne de la plus haute marée. Pour se protéger des fauves qui pourraient sortir de la jungle, il a recours à un stratagème connu de quelques aventuriers. Il va chercher de longues tiges de bambou à l'orée de la forêt et, avec son couteau de scout, il les coupe en tronçons dont il taille une extrémité en pointe très acérée. Un à un, il enfonce ces pieux dans le sable, la pointe en l'air, de manière à former plusieurs cercles concentriques autour de lui. Ensuite il se couche sur le côté, creuse un petit trou pour sa hanche et s'endort sous les étoiles.

Le grésillement de l'appareil vient d'augmenter. Je lève la tête une deuxième fois, mais il n'y a rien de grave : le jeune Alex s'est mis lui aussi sur le côté. Il me regarde un moment, puis ferme les yeux. Tout est normal.

Dans mon histoire, cependant, les événements se précipitent. Le scout est réveillé en sursaut par un rugissement qui déchire la nuit. Il se redresse et saisit son couteau, prêt à vendre chèrement sa vie. À la lueur de la lune, il aperçoit, tout près de lui, juste à la périphérie des cercles de bambou, un fauve qui se tord de douleur. En bondissant vers sa proie, la bête s'est empalé les pattes sur les tiges pointues. C'est une panthère noire. Elle le regarde, les crocs menaçants, et il y a de la colère dans ses yeux dorés.

La porte de la chambre s'ouvre. L'infirmière entre, le bas du visage masqué. L'électrocardiographe est relié au poste de surveillance, alors elle vient voir ce qui se passe. Je n'avais pas noté que le rythme cardiaque s'était accéléré. Calmement et sans dire un mot, elle examine l'appareil, vérifie que les électrodes sont bien en place. Ensuite, elle remonte les oreillers et, penchée au-dessus de l'enfant, elle l'aide à se remettre sur le dos tandis qu'il passe un bras autour de son cou. Je peux voir sur l'écran que son cœur bat plus vite à ce moment-là. C'est ce qui m'arriverait à moi aussi, j'en suis certain, si j'étais à sa place.

L'aube se lève sur la plage.

Le Tigre s'est éloigné des cercles concentriques et de la panthère. Il marche au bord de la mer et réfléchit. Brusquement, il se décide. Il pénètre dans la jungle, trouve une source et rapporte de l'eau fraîche dans une coque de noix. La panthère se met à gronder quand il s'approche. Elle se ramasse sur elle-même, mais ses pattes déchirées ne lui permettent pas de bondir. Avec des gestes lents et des paroles apaisantes, le scout dépose l'eau près d'elle, ensuite il s'éloigne. La panthère commence à boire. Petit à petit, elle accepte sa présence et il peut soigner ses blessures.

La panthère noire se laisse apprivoiser et j'espère secrètement que, de la même façon, mon jeune client sera capable d'apprivoiser sa maladie.

LA BALANÇOIRE DE JARDIN

Un jour, pendant les vacances d'été, mon père me suggéra de construire une cabane d'oiseaux. Il pleuvait depuis la veille et je me tournais les pouces.

Mon père descendit à la cave et je le suivis sans rien dire. L'odeur de la mélasse était plus forte que d'ordinaire à cause de la chaleur humide. Il prit une scie à chantourner, un marteau, des clous et une demi-feuille de contreplaqué, et posa ces objets sur le comptoir qui était accoté au mur, entre deux fenêtres couvertes de toiles d'araignées. Quand je lui demandai si je devais m'inspirer d'un modèle, il me conseilla de choisir celui qui se trouvait quelque part dans ma tête.

D'abord, je dessinai sur le contreplaqué les morceaux qui allaient devenir le plancher et les murs de la cabane. Je les découpai, puis les assemblai avec des clous. Avant d'installer le mur de façade, il fallait que je trouve le moyen de percer une ouverture pour le passage des oiseaux. C'est ce que je cherchais à faire lorsque je vis par une fenêtre que la pluie avait cessé. Ma sœur était dehors, elle avait pris place dans la grande balançoire de jardin qui pouvait accueillir toute la famille ou presque. J'abandonnai mon travail pour aller la rejoindre.

Quand je fus assis sur le siège qui lui faisait face, elle se mit à me parler des pays qu'elle allait visiter plus tard ; elle en connaissait déjà les principaux sites, étant une fervente lectrice des *National Geographic* de notre père. L'air était doux, ma sœur clignait des yeux à cause du soleil, le va-et-vient de la balançoire me répétait que les vacances allaient durer toujours. Il n'en fallait pas davantage pour que j'oublie le travail entrepris à la cave.

Le lendemain, c'était à mon tour d'ouvrir le magasin. Lorsqu'il vint me remplacer, vers neuf heures trente, mon père descendit à la cave sans me dire bonjour et, bien entendu, sans faire le moindre commentaire à propos du ménage et du remplissage des tablettes. Au bout de quelques secondes, il m'appela. Juste à sa manière de prononcer mon nom, je devinai que j'étais en faute. Il allait me parler de la cabane d'oiseaux.

En descendant l'escalier, je vis tout de suite que je ne me trompais pas. Campé devant le comptoir, les mains sur les hanches, mon père me fit signe d'approcher. D'une voix ferme, bien que sans agressivité, il annonça qu'il allait m'apprendre une chose qui me servirait toute ma vie. Et il déclara : « Quand on commence un travail, mon garçon, il faut se rendre jusqu'au bout ! »

Cette phrase m'impressionna d'autant plus que, dans le domaine du travail, je le considérais comme un champion. Par exemple, l'été où il avait agrandi notre maison, il s'était occupé, presque tout seul, de déménager le «porche». Chez nous, ce mot désignait un abri très large, attenant au magasin et soutenu par deux ou trois poteaux, sous lequel les cultivateurs d'autrefois avaient coutume de ranger leurs attelages de chevaux. Mon père n'est plus de ce monde depuis plusieurs années, mais je le revois encore, juché sur le toit du porche, en train de scier, avec une simple égoïne, les poutres qui le retenaient au mur de la maison.

Après ce pénible labeur, il avait transporté l'abri de l'autre côté de la rue avec l'aide des voisins. Ensuite, travaillant tous les jours durant plusieurs semaines, il avait réussi à le convertir en garage assez grand pour loger sa Buick, son pick-up Ford et nos trois bicyclettes.

10

UNE DODGE SHADOW 1992

Des images où mon père s'acquittait d'une tâche difficile sans se plaindre, j'en avais toute une réserve dans la tête. Elles m'aidaient à me rendre au bout de ce que j'entreprenais. Dans l'affaire de la mystérieuse femme, toutefois, il m'était resté un sentiment d'échec. Il me semblait que je n'avais pas bien fait mon travail.

Pour en avoir le cœur net, il fallait que je retourne dans la rue de Bernières. Je décidai de m'y rendre à la brunante. Pendant cette petite heure où les gens allument les lumières sans tirer les rideaux, j'avais des chances d'apercevoir la silhouette de la femme. Tout au moins, je saurais enfin si l'appartement était habité.

Comme à ma première visite, je garai la Mini près du parc Jeanne-d'Arc. Pour ne pas avoir l'air d'un voyeur, je m'approchai de la maison en faisant un crochet par les Plaines. J'arrivais juste au bon moment, entre chien et loup. Les fenêtres s'éclairaient les unes après les autres. La plupart des gens finissaient leur souper ou lavaient la vaisselle.

Je ralentis le pas. L'envie me venait tout à coup de prendre mon temps. Peut-être même que, dans le fond, je préférais n'être sûr de rien. Quand je fus assez près de la maison, je constatai qu'il y avait de la lumière à l'appartement d'en bas : l'architecte était chez lui. Au grenier, la lucarne était minuscule et trop haute, je ne pouvais rien voir. J'examinai les fenêtres du deuxième étage, où habitait la femme. Puisque j'avais visité les lieux, je savais à quelle pièce correspondait chacune d'elles. Soudain, à la grande fenêtre du séjour, je crus voir se profiler une ombre. Comme si, pendant deux secondes, une personne s'était penchée pour regarder dehors.

Ce n'était peut-être qu'une illusion, alors je m'approchai jusqu'à la clôture de métal noir qui borde la rue de Bernières. Les yeux fixés sur la fenêtre, je passai dix ou quinze minutes à tenter d'apercevoir un signe de vie.

Aux alentours, presque tous les rideaux étaient tirés. J'attendis encore cinq minutes, et une minute de plus, après quoi je regagnai mon auto. J'étais envahi par le doute et l'insatisfaction. Mettant le moteur en marche, je démarrai sans prendre soin de vérifier si la voie était libre. Brusquement, je me rendis compte qu'une personne tapait sur le capot de la Mini Cooper. J'appuyai très fort sur les freins. Un peu plus, je l'écrasais.

C'était un homme. La quarantaine, plus grand que moi, carré des épaules. Il portait un feutre gris et un trench-coat beige ou de couleur pâle. Je le vis contourner l'auto et s'approcher de la portière. Se penchant vers moi, il exhiba un insigne mais le remit dans sa poche sans me laisser le temps de le regarder.

— Éteignez le moteur ! ordonna-t-il.

Je fis ce qu'il demandait. Il passa derrière l'auto, puis ouvrit la portière de droite et s'installa sur le siège du passager.

— On va discuter gentiment.

— Pourquoi ?

— Regardez là-bas !

Il pointait son index vers le parc Jeanne-d'Arc. Pendant que je tournais la tête dans cette direction, il retira la clé de contact d'un geste vif. Un geste de professionnel. Du coup, je compris ce qui se passait : cet homme était un policier. Il m'avait surpris en train d'observer la maison de la rue de Bernières. Or, cette rue se trouvait sur le territoire des Plaines d'Abraham. Elle était sous la responsabilité des gendarmes fédéraux, c'est-à-dire de la *Royal Canadian Mounted Police*. J'avais donc affaire à la célèbre « Police montée », comme on disait autrefois. La police qui se promenait à cheval dans les grandes plaines de l'Ouest canadien, vêtue d'une tunique rouge, de culottes bouffantes et d'un chapeau cabossé. Celle qui avait la réputation de toujours attraper son homme.

Une Police montée était assise à côté de moi dans l'auto. Je me sentais comme Henri Richard lorsque son frère Maurice le foudroyait du regard parce qu'il avait raté un but.

— N'ayez pas peur, dit-il. Je ne vous veux pas de mal.

— Je n'ai pas peur, dis-je en me raclant la gorge.

— Très bien. Maintenant, expliquez-moi ce qui vous intéresse dans cette maison.

— Quelle maison? fis-je, l'air innocent.

Il tourna la tête vers moi. Avec son visage impassible, sa voix métallique, il me faisait penser à Humphrey Bogart. Son chapeau frôlait le plafond de la Mini. Dans mon for intérieur, je le baptisai «Bogie».

— La maison de la rue de Bernières, dit-il sans s'énerver. Celle que vous avez regardée si longuement tout à l'heure.

— C'est interdit?

— Non, mais c'est pas la première fois que vous venez.

Il fallait que je réfléchisse au plus vite. Quelqu'un, peut-être un voisin, en me voyant entrer, avait prévenu la police. La maison était sous surveillance, et Bogie avait été chargé de l'enquête. Il savait des choses sur moi. N'ayant rien fait de très grave, je ne me sentais pas vraiment coupable. C'était plutôt de l'agacement que j'éprouvais. Je m'étais construit un monde imaginaire autour de la mystérieuse femme, et voilà qu'un intrus pénétrait dans mon petit univers et risquait de tout jeter par terre.

— Vous êtes allé voir une femme, dit le policier. Quelle était la raison de votre visite?

— Elle m'avait invité.

— Pourquoi?

— Pour lui faire la lecture.

— C'est vrai, vous êtes un lecteur professionnel.

— Oui.

Voilà, c'était la bonne attitude : répondre brièvement, dire la vérité et attendre la suite. Tout allait bien, j'étais assez content de moi.

— Elle n'était pas là et vous êtes entré quand même. Pourquoi ?

— La porte était ouverte.

— Si vous voyez une porte ouverte, vous entrez ?

— J'étais inquiet.

— Pourquoi ?

— Elle s'était peut-être fait mal. Par exemple en prenant son bain.

— Ah bon ! Elle prenait son bain la porte ouverte !

Le ton sarcastique du policier me tapait sur les nerfs, alors je décidai de ne plus répondre. Au bout d'un moment, il cessa de me poser des questions. Et, sans doute pour montrer que je n'étais pas de taille à lutter avec lui, il me donna un aperçu de ce qu'il savait sur mon compte. Le nombre de fois que j'étais venu. Les endroits où j'avais garé mon auto. Mon adresse dans le faubourg Saint-Jean-Baptiste.

Pour finir, il me fit une proposition :

— On va faire un *deal*, vous et moi.

— Un quoi ?

— Un *deal* ! Vous ne savez pas ce que c'est ?

— Vous voulez dire un *marché* ?

— C'est ça.

L'occasion était belle de prendre ma revanche. J'allais remettre la Police montée à sa place. Est-ce que, malgré sa petite taille, Henri Richard ne ripostait pas à toutes les attaques de ses adversaires sur la patinoire ?

— Les deux mots sont équivalents, affirmai-je. Ils ont exactement le même poids !

— Et alors ?

— Alors, pourquoi employez-vous le mot anglais ?

Il haussa les épaules. La colère montait en moi et je n'avais pas envie de la réprimer.

— Je vais vous le dire : c'est parce que vous pensez que l'anglais est une langue magique !

Une nouvelle fois, Bogie tourna la tête pour m'observer. Son visage était impassible, et même glacial. Il avait l'air de se demander si j'avais toute ma raison. Après un moment de réflexion, il dit d'une voix très calme :

— Lors de votre deuxième visite, vous avez pris quelque chose dans l'appartement. Voici mon *deal* : vous me remettez cet objet et, en échange, je vous donne des renseignements sur la femme qui vous intéresse.

Il remit la clé de contact à sa place et ouvrit la portière.

— Vous avez une semaine pour réfléchir. Bonne chance, monsieur Francis !

Sur ces mots, il s'éloigna. Avant de démarrer, je le suivis des yeux dans le rétroviseur. Il avait de grosses chaussures comme tous les policiers. Au coin de la rue Laurier, il prit place dans une vieille auto noire. Je suis un expert en ce domaine : c'était une Dodge Shadow, probablement de 1992.

11

LA MERVEILLE MASQUÉE

Henri Richard fonçait vers le but de l'équipe adverse et rien ne pouvait l'arrêter. Malheureusement, je n'ai pas autant de courage que lui. Quand la vie me fait des misères, il m'arrive de chercher refuge dans le rêve.

Le lendemain de ma confrontation avec Bogie, je m'abandonnai à mon rêve préféré. Il se déroulait au cours d'une partie de hockey, à l'époque où les gardiens de but commençaient à se protéger le visage avec un masque. Je suis trop jeune pour avoir connu ces années-là, mais mon père m'en a parlé. Il m'a raconté comment Jacques Plante, le gardien des Canadiens de Montréal, avait demandé à un artisan de lui fabriquer un masque en fibre de verre qui épousait les contours de son visage et ne comportait que de petites ouvertures pour les yeux, le nez et la bouche.

Pour déclencher un rêve éveillé, la meilleure position est celle du fœtus. Je me couche sur le côté gauche, les genoux relevés, une main sous l'oreiller et l'autre entre mes jambes. Fermant les yeux, je fais le vide dans mon esprit.

La première image arrive : on est au Forum de Montréal. Vêtu du costume de gardien de but, et portant le fameux masque, je saute sur la patinoire en pleine lumière, suivi de tous mes coéquipiers, le capitaine en dernier, comme le veut la tradition. Les spectateurs, les joueurs, tout le monde me prend pour Jacques Plante, car j'ai son masque et, en plus, j'imite sa façon de patiner. Pendant ce temps, le gardien régulier est emprisonné dans une pièce voisine du vestiaire, sous la surveillance d'un préposé à l'équipement que j'ai réussi à soudoyer.

J'ai appris à patiner sur la rivière gelée de mon village natal. Quand la glace était assez épaisse, de l'avis de mon père, nous dégagions un espace rectangulaire en repoussant la neige sur les côtés. Je pouvais alors patiner avec ma sœur, ou encore je jouais au hockey avec les petits voisins et, dans ce cas, j'aimais bien tenir le rôle de gardien.

Au Forum, je me dirige vers le but des Canadiens. Avec la lame de mes patins, je racle la glace pour la rendre plus rugueuse au cas où je devrais me jeter à terre et me relever rapidement. Je pose mon bâton Sherwood sur le dessus des filets, puis je sors un livre que j'ai caché à l'intérieur de ma grosse mitaine. Les coéquipiers font le tour de notre zone à toute vitesse. Ils n'ont pas l'air surpris de voir que j'ai apporté de la lecture. Tout le monde sait que Jacques Plante est un original.

J'ouvre mon livre. C'est un recueil de poèmes : *Les îles de la nuit*, de monsieur Alain Grandbois. Je ne comprends pas toujours ce que je lis, mais on dirait que les textes ont le pouvoir d'augmenter ma concentration et d'aiguiser mes réflexes. Voici les vers que j'aime le plus :

Nous avons partagé nos ombres
Plus que nos lumières
Nous nous sommes montrés
Plus glorieux de nos blessures
Que des victoires éparses
Et des matins heureux

En levant la tête, j'aperçois l'arbitre qui regarde vers moi depuis le centre de la patinoire. Je lui fais signe que je suis prêt et il met la rondelle en jeu. Nos adversaires sont les Red Wings de Detroit, avec le redoutable Gordie Howe. Heureusement, Jean Béliveau s'empare du disque et, en quelques coups de patins très élégants, comme s'il s'agissait d'une valse, il pénètre dans le territoire des Wings. Pour le seconder, le défenseur que je préfère, Doug Harvey, s'avance jusqu'à la ligne bleue ennemie. L'esprit tranquille, je reprends le recueil de Grandbois.

Ah nos faibles doigts se pressent frénétiquement
Tentant de rejoindre le bout du monde des rêves
Tentant d'appareiller les caravelles vers les
*   îles miraculeuses*

Un murmure s'élève parmi les spectateurs. Sans abandonner mon livre, je devine que nos adversaires sont maintenant en possession de la rondelle. Du coin de l'œil, je vois Gordie Howe lui-même qui fonce vers notre zone avec ses deux coéquipiers. Avant de franchir la ligne bleue, il fait une passe à son joueur de centre. Quand celui-ci entre dans notre territoire, les gens dans les gradins se mettent à hurler pour me prévenir. Je ne regarde même pas. Tourné à demi vers la gauche, le coude appuyé sur la barre horizontale du but, je fais comme si j'étais absorbé par la lecture du poème. J'ai l'air d'être indifférent au danger qui se rapproche, mais je sais que Gordie Howe est rendu dans le coin droit de la patinoire et que le joueur de centre lui a refilé la rondelle. Je le connais, il veut attirer nos défenseurs vers lui et faire une passe à son ailier gauche posté à l'embouchure des filets. Nos avants tardent à venir prêter main-forte aux défenseurs.

Tous les spectateurs du Forum sont debout et crient pour que je réagisse avant qu'il ne soit trop tard. La clameur de la foule me remplit de fierté, même si je ne veux pas le laisser paraître. Je n'ai pas étudié aussi longtemps que mon frère Jack, je n'ai pas voyagé autant que ma petite sœur, mais aux yeux de milliers de partisans, je suis la seule personne capable de sauver l'équipe des Canadiens de Montréal.

Je fais durer le plaisir, je savoure toutes les secondes qui passent. Subitement, notre défenseur Doug Harvey se place devant Gordie Howe pour le mettre en échec. Il est accueilli par un coup de coude en plein visage. Ensuite le grand Howe quitte le coin de la patinoire avec la rondelle. L'autre défenseur,

Émile Bouchard, lui barre la route, mais l'attaquant fait une passe parfaite à son ailier gauche, qui est près de mes filets. Les gens retiennent leur souffle, c'est un silence de mort dans les gradins.

Au moment précis où l'ailier va pousser la rondelle dans le but, j'allonge mon bâton de gardien et, comme si de rien n'était, je fais dévier le lancer dans la foule.

Je suis la Merveille masquée.

12

LES CHEFS INDIENS

Ma vie oscillait entre le rêve et la réalité. Loin de
m'inquiéter, cette situation était pour moi un motif
de fierté. Je n'ai jamais éprouvé le besoin d'être
comme tout le monde.

De toute manière, mon travail de lecteur m'apportait de grandes satisfactions. Chaque semaine,
j'avais hâte de revoir Marine et la petite Limoilou.
Celle-ci avait l'esprit de plus en plus éveillé et posait
de nombreuses questions sur les Indiens. Elle avait
un faible pour le chef sioux qui figurait sur mon
exemplaire du journal de Lewis et Clark.

À la dernière séance de lecture, j'avais abandonné Clark sur une petite île du Missouri. Les
membres de l'expédition se reposaient de leur
première journée de voyage. On les avait prévenus
qu'ils devaient « traverser un pays tenu par des
peuples sauvages, nombreux, puissants et guerriers,
d'une stature gigantesque, farouches, perfides et
cruels, et surtout ennemis des hommes blancs ».

Tandis que la belle Irlandaise transportait ses
dictionnaires dans la cuisine, Limoilou prit place
sur sa chaise longue. Elle ferma les yeux et je

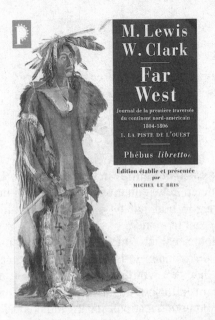

commençai ma lecture. À cause des malheurs
qu'elle avait connus et dont on voyait encore des
traces autour de ses yeux et sur ses poignets, elle
m'impressionnait toujours autant. Mais, à présent,
je devenais plus hardi et il m'arrivait de suivre sur
son visage les émotions que les mots engendraient
chez elle.

Dans son journal, William Clark notait qu'il
avait remonté le Missouri jusqu'au village de Saint-
Charles, avec une quarantaine d'hommes répartis
sur trois bateaux. Son camarade Lewis était enfin
venu le rejoindre. Ils avaient engagé deux trappeurs

métis, Pierre Cruzatte et François Labiche, qui connaissaient la région et parlaient plusieurs langues indiennes.

La remontée du Missouri était pénible à cause des courants, des bancs de sable et des troncs d'arbres flottant sous la surface. S'il n'y avait pas de vent, des hommes postés sur la rive devaient haler le grand bateau avec des câbles. Le beau visage de Limoilou reflétait les efforts des membres de l'expédition, puis il se détendait lorsque ceux-ci se préparaient à camper pour la nuit, car les auteurs employaient alors une petite phrase qui la faisait sourire à cause de la rime :

Tiques et moustiques sont des plus gênants.

De mon côté, je me réjouissais de constater que le parcours des explorateurs était jalonné de noms français. Noms de villages, de forts, de cours d'eau, de collines, mais aussi de voyageurs, de guides, d'aventuriers, de traiteurs de fourrures. Ils s'appelaient Loisel, Dorion, Laliberté, Lepage... Leurs noms avaient des consonances familières et je les prononçais avec d'autant plus de respect que l'Histoire les avait oubliés.

Comme Limoilou s'intéressait avant tout aux Indiens, je sautai un grand bout du journal, pour en arriver au 25 septembre. C'était le jour où les explorateurs faisaient la rencontre d'une bande de Sioux très connus pour leur férocité. Ils contrôlaient le passage vers le Haut-Missouri et rançonnaient les voyageurs. Le chef de la bande, Tortohonga, était surnommé le Partisan. D'après le traiteur Pierre-Antoine Tabeau, il pouvait dans la même journée «se montrer pusillanime et boutefeu, fier et servile, provocateur et conciliant – un intrigant et un hypocrite».

— Ça veut dire quoi, *boutefeu* ? demanda Limoilou.

J'avais prévu la question et consulté le *Petit Robert* avant de quitter mon appartement. Alors je n'eus pas de mal à expliquer que le boutefeu, au sens propre, était une torche avec laquelle on allumait la charge d'un canon ; au figuré, c'était une personne qui provoquait des chicanes.

— Merci, dit-elle. Comment s'est passée la rencontre avec le Partisan ?

— Plutôt mal, dis-je.

Et, pour illustrer mon propos, je lus le passage suivant :

> *Nous avons invité les chefs à notre bord et leur avons montré le bateau, le canon à air et toutes les choses curieuses dont nous savions qu'elles les amuseraient.*
> *Nous n'y avons que trop bien réussi car, après que nous leur eûmes donné le quart d'un verre de whisky (qu'ils ont eu l'air d'aimer beaucoup) ils ont vidé la bouteille et n'ont pas tardé à devenir pénibles.*

— Les explorateurs n'auraient pas dû leur donner du whisky, fit observer Limoilou avec bon sens.

208

— Tu as raison. C'était une habitude déplorable. Elle existait depuis les premières rencontres entre les Blancs et les Indiens. Mais je suppose que tu as appris tout ça dans tes cours d'histoire ?

— Je n'ai pas eu de cours d'histoire.

Elle haussa une épaule et je vis passer une ombre sur son visage émouvant et triste. Je regrettais d'avoir posé la question. Heureusement, elle demanda si les auteurs parlaient des femmes qui faisaient partie de cette bande d'Indiens. Je m'empressai de lui lire ce paragraphe :

Les squaws sont d'humeur plaisante. (...) Elles ont de hautes pommettes, portent des jupons et des tuniques faites de peaux, jetées sur leurs épaules. Elles font tous les travaux difficiles et je peux bien dire qu'elles sont absolument les esclaves des hommes.

Limoilou s'agita un peu sur sa chaise longue, mais ne fit aucun commentaire, alors je continuai de lire :

Les femmes se sont alors avancées, vêtues de couleurs vives. Les unes tenaient un piquet où pendait le scalp d'un ennemi, d'autres brandissaient des fusils, des lances ou divers trophées rapportés de la guerre par leurs époux, leurs frères ou leurs parents (...). Elles ne dansent pas selon des pas précis, mais glissent en traînant les pieds, et la musique ne semble être qu'un mélange de bruits confus, où

l'on ne distingue guère que les coups plus ou
moins forts portés sur la peau des tambours.

— Attends un peu, dit-elle. Si j'ai bien entendu, les femmes dansaient en brandissant le scalp d'un ennemi au bout d'un bâton. Es-tu sûr que les choses se passaient de cette manière ?

Son visage était crispé, elle avait l'air inquiète. Cette fois, n'ayant pas prévu la question, je réfléchis aussi vite que possible. Comme j'avais parcouru les récits de Champlain, ceux de Gabriel Sagard, les *Relations des Jésuites* et plusieurs autres textes, je connaissais les mauvais traitements que les Indiens réservaient à leurs ennemis. Ils les humiliaient, les insultaient, les torturaient et, dans certains cas, les dévoraient.

Comment expliquer un tel comportement à une fille dont l'existence avait été dévastée par des souffrances physiques et morales ? Je me creusais la tête pour trouver une solution à ce problème lorsque j'entendis un bruit de chaise venant de la cuisine. Un instant plus tard, Marine entra dans le solarium et posa ses dictionnaires sur la grande table.

— J'ai fini mon travail, déclara-t-elle.

C'était la première fois qu'elle intervenait dans mes séances de lecture. Je compris tout de suite qu'elle le faisait pour venir à mon aide. S'approchant de la fenêtre qui se trouvait entre Limoilou et moi, elle se mit à s'étirer dans la lumière qui baignait le solarium. Elle cambrait le dos et allongeait les bras au-dessus de sa tête, en tenant les mains jointes et les paumes tournées vers le haut. Il était onze heures trente du matin et le soleil mettait le feu à sa magnifique chevelure rousse. Ses cheveux étaient vraiment comme une flamme, je le jure. Tout comme moi, la petite Limoilou regardait le spectacle avec des yeux agrandis par l'admiration.

— J'ai envie de me promener, dit Marine. Peut-être que je vais prendre le sentier qui descend vers le parc des chevaux de course.

— C'est une bonne idée, je vais avec toi, dit Limoilou.

Elles sortirent ensemble du chalet. Le chat noir, qui avait dormi sur le ventre de la jeune fille, se mit à les suivre. Je ne voyais pas Chaloupe, mais elle n'était sûrement pas très loin.

Après réflexion, je décidai de laisser les filles entre elles et de me retirer sur la pointe des pieds. Quand elles eurent disparu derrière le chalet, je montai dans la Mini Cooper en refermant la portière sans faire de bruit. Tandis que l'auto grimpait la côte en direction du Chemin Royal, un texte très court que je savais par cœur me revint en mémoire. J'aurais pu le réciter à Limoilou en guise de réponse à sa question. Ces quelques mots avaient la force et la douceur qu'il fallait pour apaiser ses inquiétudes. Ils avaient été prononcés par le grand chef Crowfoot de la tribu des Pieds-Noirs :

Qu'est-ce que la vie ? C'est l'éclat d'une luciole dans la nuit. C'est le souffle d'un bison en hiver. C'est la petite ombre qui court dans l'herbe et se perd au couchant.

13

MARIANNE

Un jour, vers cinq heures de l'après-midi, je revenais chez moi en Mini Cooper. Mon garage, à la Tour du Faubourg, donne sur la rue d'Aiguillon. Comme la porte ne s'ouvre pas automatiquement, je descendis de l'auto pour utiliser ma clé et, tout à coup, j'aperçus la vieille Dodge Shadow qui était garée plus loin. Bogie se trouvait au volant. Je le reconnus à son feutre et au col relevé de son trench-coat.

Faisant comme si je ne l'avais pas vu, j'introduisis la clé dans le boîtier métallique. La porte s'ouvrit. À l'intérieur du garage, j'empruntai la rampe conduisant au premier sous-sol. En sortant de la Mini, je vis que le policier m'avait suivi à pied. Les bras croisés, il me bloquait l'accès à l'escalier en béton qui menait aux étages.

— Bonjour, Francis ! dit-il, assez fort pour dominer le bruit assourdissant des ventilateurs. Vous vous souvenez de moi ?

La question me parut idiote. Je ne répondis pas.

— Je veux dire, vous vous souvenez de notre... *deal* ?

— Comment voulez-vous que j'oublie ça !

— Très bien. Je vous accompagne chez vous, si ça ne vous ennuie pas.

— Et si ça m'ennuie ?

Pour toute réponse, il m'invita à prendre l'escalier en esquissant un geste cérémonieux de la main. Quand nous fûmes au premier étage, il me précéda jusqu'à mon appartement. De toute évidence, il voulait me montrer qu'il savait exactement où j'habitais. Je ne fus pas impressionné, car cette information se trouvait sur le tableau affiché à la vue de tous dans le hall de l'entrée principale, rue Saint-Jean.

En ouvrant la porte de l'appartement, je pris la liberté de refaire le geste avec lequel il s'était moqué de moi. Il entra et se dirigea aussitôt vers la porte-fenêtre. Tout près de lui, du côté gauche, il y avait une commode haute et étroite où je rangeais mes papiers importants. Le carnet d'adresses que j'avais pris chez la femme se trouvait dans le premier tiroir.

— La vue est moins belle que chez Jack, observa-t-il.

Avait-il eu l'audace de monter chez mon frère ? Était-il en train de bluffer ? Je penchais pour la deuxième hypothèse, mais rien ne prouvait que j'avais raison. Cette Police montée était bien capable de se présenter à l'appartement de Jack et de lui mettre son insigne sous le nez pendant une demi-seconde. Par prudence, je fis semblant de n'avoir pas entendu son observation.

Ce n'était pas le moment de déranger le vieux Jack. Pour quelque mystérieuse raison, il estimait n'avoir que peu de temps à vivre. Son roman sur l'Amérique française était à ses yeux un dernier combat. Sa bataille des Plaines d'Abraham. Toute son énergie était consacrée à son livre. Son mal de dos augmentait, il ne sortait presque plus, n'allait jamais au cinéma ni au restaurant et ne recevait personne. Il était maigre et avait le teint livide.

Ma sœur et moi, nous avions la clé de son appartement. Elle s'occupait de ses repas. Une ou deux fois par jour, elle ouvrait la porte sans faire de bruit et déposait des mets tout chauds sur la chaise qui se trouvait dans l'entrée. Si Jack travaillait dans sa chambre, elle avançait sur la pointe des pieds, faisait un peu de ménage, lavait la vaisselle. Pour ma part, je m'occupais des messages qui s'accumulaient sur son répondeur. J'examinais son courrier et je payais ses factures pour lui éviter des ennuis. De temps en temps, nous ramassions le linge qui traînait et nous faisions une lessive dans la salle de lavage du rez-de-chaussée. Et les fins de semaine, je l'emmenais à l'île pour qu'il passe quelques heures avec Marine, Limoilou et les chats.

Le policier déambulait dans l'appartement. Il regardait autour de lui et furetait dans les coins. Je voyais bien qu'il cherchait le carnet, mais comme il m'avait compliqué la vie, je décidai de le faire attendre.

— Vous connaissez les livres de mon frère ? demandai-je.

— J'en ai entendu parler, dit-il prudemment.

— Et vous les avez lus ?

— Non. Je ne lis pas beaucoup.

— Même pas des romans policiers ?

— J'aime mieux regarder la télé, c'est plus reposant.

— Tant pis pour vous !

— Pourquoi dites-vous ça ?

— La télé, ça sert avant tout à faire marcher le commerce.

Il s'immobilisa et me regarda comme si j'étais un extraterrestre. De fait, nous vivions dans des univers très différents. Il devait passer de longues journées à suivre les gens, à les épier avec des jumelles, à les écouter dans un restaurant ou dans le hall d'un hôtel, caché derrière un journal. Le soir, il était probablement très heureux de mettre ses pantoufles, de s'écraser dans un fauteuil, les pieds sur un pouf, et de regarder n'importe quoi à la télé en buvant une bière et en avalant des pointes de pizza.

— Qu'est-ce qui vous fait rire ? demanda-t-il.

— Rien d'important, dis-je.

— Alors, revenons au but de ma visite. Le carnet, vous l'avez mis à quel endroit ?... Dans la petite commode ?

Il n'avait pas attendu assez longtemps, alors je ne répondis pas tout de suite. De plus, je venais de faire une découverte. Au mur de droite était accrochée une peinture de Jean-Paul Lemieux qui montrait un homme, une femme et un petit garçon. Puisque le tableau était une reproduction sous plaque de verre, je pouvais m'en servir pour observer le policier comme dans un miroir, sans qu'il ne s'aperçoive de rien. En le regardant de cette manière, je découvrais avec étonnement qu'il ressemblait beaucoup à mon père. Il avait le même visage creusé, le même air sérieux et affairé.

Je m'efforçai de ne pas montrer ma surprise. Mais tout ce qui me vint à l'esprit, pour exprimer cette volonté, ce fut les mots anglais *poker-face*. J'eus honte de moi. Pourquoi cette expression au lieu de l'équivalent français *visage impassible*? En étais-je arrivé, moi aussi, à considérer l'anglais comme une langue magique?

Le policier interrompit mes réflexions:

— Dans le premier tiroir? insista-t-il.

À présent, je voulais qu'il s'en aille au plus vite.

— C'est ça, dis-je, le premier tiroir.

— Merci. Je le savais.

Il prit le carnet d'adresses, le feuilleta un moment, puis le glissa dans la poche intérieure de son trench-coat. Je mis les deux mains sur mes hanches.

— Maintenant que vous avez le carnet, auriez-vous l'amabilité de me laisser tranquille? demandai-je en détachant les syllabes.

— Vous ne voulez pas que je vous parle de Marianne comme nous avions convenu?

— De *qui*?

— De la femme qui habite dans la rue de Bernières. Vous ne saviez pas qu'elle s'appelait Marianne?

Je faillis répondre non, ce qui était la vérité. Au téléphone, elle ne m'avait pas dit comment elle s'appelait, et son nom ne figurait pas sur les boîtes aux lettres de la maison. Au dernier moment, je décidai de me taire. Je me plantai devant Bogie et, en le regardant droit dans les yeux :

— Vos renseignements ne m'intéressent pas, dis-je.

Puis je lui indiquai la porte.

Après son départ, je tentai de mettre de l'ordre dans mes idées. Ce n'était pas mon point fort : en général, je me laisse plutôt guider par l'intuition ou les sentiments. Cette fois encore, mes efforts ne donnèrent pas de résultats.

À l'heure du souper, je me préparai un spaghetti avec une sauce à la viande que ma sœur avait apportée. Pendant que je lavais la vaisselle, les mains dans l'eau tiède et l'esprit en vagabondage, il m'apparut que je ne pouvais avancer dans mes réflexions à moins de concilier trois éléments : le plan de Paris que j'avais vu dans la salle de bains, le rêve étrange qui s'était déroulé sur les Plaines d'Abraham et le nom de la femme que le policier venait de me révéler.

Mais ce jour-là, il me fut impossible d'aller plus loin. Après tout, je ne suis qu'un petit frère.

14

LA GRANDE CÔTE
DE BAIE-SAINT-PAUL

Parmi mes auditeurs, la personne à laquelle j'étais le plus attaché, à part Limoilou, se trouvait à l'Hôtel-Dieu. Elle s'appelait Chloé. Ses parents lui avaient donné ce prénom à cause de *L'écume des jours*, de monsieur Boris Vian. Elle avait eu vingt ans pendant son séjour à l'hôpital.

Elle était dans le coma.

L'accident s'était produit au début de l'été. Son copain conduisait une Yamaha et elle occupait le siège du passager, les bras serrés autour de ses hanches. Il pleuvait, ce jour-là, et il faisait plutôt froid. La moto avait dérapé dans la grande côte qui dévalait vers Baie-Saint-Paul. La fille avait été projetée dans le fossé et sa tête avait heurté une pierre. Elle ne portait pas de casque.

La plupart du temps, quand je faisais la lecture à Chloé, son copain était présent et lui tenait la main. Il se sentait responsable des graves blessures qu'elle avait subies. La veille de l'accident, il avait apporté le casque du passager chez lui afin de nettoyer la visière en plastique, et il avait oublié de le replacer dans le coffre de la moto. Bien sûr, lorsqu'il était passé chez son amie pour lui proposer une balade dans Charlevoix, il lui avait offert son propre casque. Elle s'était contentée de hausser les épaules et de sourire en disant : « J'ai confiance. » La petite phrase résonnait dans sa tête quand il se réveillait la nuit.

Je lui lisais un roman de monsieur Ducharme, *L'avalée des avalés*, parce qu'il était au programme de ses études. Mais il y avait une autre raison. Il me semblait que les mots, en plus de posséder des vertus thérapeutiques, comme les plantes, réagissaient entre eux à la manière des atomes. C'était bien visible dans les textes de Réjean Ducharme : les mots se heurtaient les uns aux autres, s'entrechoquaient, et leur puissance était ainsi décuplée. Les premières phrases donnaient un coup au cœur :

Tout m'avale. Quand j'ai les yeux fermés, c'est par mon ventre que je suis avalée, c'est dans mon ventre que j'étouffe. Quand j'ai les yeux ouverts, c'est par ce que je vois que je suis avalée, c'est dans le ventre de ce que je vois que je suffoque. Je suis avalée par le fleuve trop grand, par le ciel trop haut, par les fleurs trop fragiles, par le visage trop beau de ma mère.

Le copain était assis à côté du lit, sur une chaise droite, et lui caressait la main. Je me tenais debout, accoudé sur l'appui de la fenêtre, pour profiter de la lumière naturelle. Couchée sur le dos, Chloé avait l'air de dormir. Elle était sous perfusion et un moniteur surveillait son activité cérébrale, mais elle respirait par elle-même.

Je me trouvais dans une situation nouvelle. Le mot *coma*, d'après mon *Petit Robert*, veut dire «sommeil profond». En réalité, la fille était égarée dans un pays étrange dont on ne savait presque rien. On pouvait seulement dire qu'elle reposait quelque part entre la vie et la mort, et qu'un jour elle aurait à choisir un monde plutôt que l'autre. Mon travail consistait à influencer son choix. Pour y arriver, je n'avais rien d'autre que les mots.

Heureusement, l'écriture de Ducharme était tout le contraire d'une «petite musique». Elle frémissait, elle bougeait sans cesse, les mots se choquaient, les images allaient dans tous les sens, prenaient toutes les couleurs, et des bouts de phrases jaillissaient comme un feu d'artifice. J'aimais en particulier le passage suivant :

> *Ici, c'est une île. C'est un long chemin entouré de joncs, de sagittaires et de petits peupliers tapageurs. C'est un long drakkar ancré à fleur d'eau sur le bord d'un grand fleuve.*
> *C'est un grand bateau dont les flancs chargés de fer et de charbon sont presque engloutis, dont le mât unique est un orme mort.*

Le copain de la fille et moi, nous avions presque le même âge. J'aurais donné une fortune pour qu'il retrouve son amie. Je prenais ma voix la plus sérieuse, la plus persuasive. J'espérais de tout mon cœur que les mots arrivent à percer le mur de silence dont elle était entourée et qu'ils puissent se frayer un chemin jusqu'à cet endroit mystérieux où son âme était recroquevillée comme une petite bête au fond d'un terrier.

À certains moments, le doute m'envahissait. Je reprenais confiance lorsque je lisais ces phrases qui, me semblait-il, avaient été écrites spécialement pour elle :

Je me suis si bien murée, j'ai tenu mes valves fermées si juste durant ces années d'exil, que cette nuit, comme beaucoup d'autres nuits, je me meurs, je me frappe la tête contre le plancher comme on frappe contre le coin d'une table une montre qui s'est arrêtée.

Ensuite, je me taisais. Je guettais le moindre signe d'un réveil. Un léger soupir, un battement de paupière, n'importe quoi.

15

LE PONT DE LA 3ᵉ AVENUE

Un bruit attira mon attention pendant que j'étais sous la douche.

Je fermai les robinets et tendis l'oreille. Quelqu'un frappait à ma porte en se servant du heurtoir. Il me semblait que le bruit métallique se répercutait jusqu'à l'autre bout de l'étage. Je m'essuyai en trois coups de serviette et enfilai mon vieux peignoir. Pieds nus, je me rendis dans l'entrée, mais d'abord je regardai par le judas. C'était ma sœur, ma petite sœur bien-aimée. Après avoir noué la ceinture de mon peignoir, je m'empressai d'ouvrir. Elle avait le visage bronzé, les mains dans le dos et un sourire mystérieux. En mettant un bras autour de ma taille et son nez dans mon cou, elle dit :

— Mmm... ça sent bon ! C'est quoi, ton shampoing ?

— Miel et citron.

En dépit de ses longues absences, ma sœur est depuis toujours ma meilleure amie. Les choses importantes, celles qui me guident dans la vie, c'est elle ou mon père qui me les ont enseignées.

Nous avons un tas de souvenirs en commun. L'un des plus anciens remonte au temps où elle n'avait pas encore quitté la maison familiale. Lorsque j'ouvrais le magasin, elle venait parfois s'asseoir avec moi à la «fenêtre du moulin» et nous écoutions ensemble les fameuses chansons qui tournaient le matin à la radio. Il nous arrivait aussi de feuilleter un des magazines auxquels mon père était abonné. Nous frôlant de l'épaule et du coude, juste assez pour créer un petit frisson, nous regardions les photos qui racontaient la vie mondaine des vedettes et des stars de l'époque. Une de ces photos, dans le *Paris-Match*, allait devenir pour nous l'image la plus triste au monde : elle montrait une fosse nouvellement creusée dans l'herbe d'un cimetière, à Ketchum en Idaho, pour recevoir le corps d'un homme que tout le monde appelait Papa. C'était monsieur Ernest Hemingway. Il s'était tiré un coup de fusil dans la tête, un dimanche matin, le 2 juillet 1961.

— Est-ce que tu vas bien ? s'inquiéta ma sœur.

— Ça peut aller. Et toi ?

— Moi aussi.

— Tu arrives de chez Jack ?

— Oui, mais je ne l'ai pas vu, dit-elle. La porte de sa chambre était fermée et j'entendais un ronflement.

— Peut-être qu'il n'avait pas bien dormi. La dernière fois que je l'ai emmené au chalet, il m'a dit qu'il se levait souvent la nuit pour écrire. Il a peur de ne pas se rendre au bout de son roman, alors il travaille encore plus que d'habitude.

— En tout cas, je lui ai laissé des croissants. Et j'en ai gardé pour nous deux.

Elle me tendit un petit sac qu'elle avait caché dans son dos.

— C'est vraiment très gentil.

Me penchant vers elle, je frottai mon nez contre le sien. Cette fois, elle passa ses deux bras autour de mon cou, et ses lèvres effleurèrent les miennes. C'était très doux. Dans nos rapports, ma sœur et moi, nous rejetions toutes les règles, sauf celle qui demandait de ne pas imposer sa volonté à l'autre. Cependant, nous ne sentions pas le besoin de passer aux actes : il nous suffisait de rêver à tout ce qui était possible.

Ma sœur laissa ses sandales dans l'entrée. Elle se rendit à la cuisine et mit les croissants au four. Je préparai le café tandis qu'elle apportait sur la table les couverts et plusieurs pots de confiture. Lorsque nous fûmes assis l'un en face de l'autre, en train de manger, elle posa ses pieds nus sur les miens.

— Sais-tu quoi ? fit-elle.

Cette petite phrase annonçait toujours quelque chose de spécial. J'étais en alerte.

— Quoi ?

— Hier soir, je suis passée par la rue de Bernières.

— Et alors ? demandai-je, après avoir bu une longue gorgée de café.

— J'ai eu de la chance, la femme était là.

— Dans son appartement ?

La réponse ne vint pas tout de suite. Ma sœur tenait un morceau de croissant et elle hésitait entre les confitures de fraises, de framboises et d'oranges amères.

— Non, dit-elle en cherchant ses mots, elle marchait devant moi sur le trottoir. Elle allait faire des courses. Du moins, c'est ce que j'ai pensé.

— Pourquoi ?

— Elle avait... un sac en jute comme ceux qui servent à transporter les provisions.

Les hésitations de ma sœur firent naître des doutes dans mon esprit. Est-ce qu'elle n'inventait pas cette histoire dans le but de me faire plaisir ? Je gardai cependant mes réflexions pour moi, car j'avais en tête la chanson *Fais comme si*, chantée par Édith Piaf avec sa voix râpeuse et très émouvante. Les paroles disaient :

Fais comme si mon amour
Fais comme si on pouvait
Mon amour, mon amour
S'aimer à tout jamais.

— Laisse-moi deviner, dis-je. La femme marchait devant toi... Pour voir son visage, tu l'as dépassée et tu t'es arrêtée sous un prétexte quelconque.

— J'avais un caillou dans ma sandale.

— Tu pourrais me la décrire ? demandai-je en prenant une voix inquiète.

— Bien sûr, dit-elle. C'est une grande blonde. Très mince et le teint pâle. Elle portait une longue robe blanche... Elle avait la même allure qu'un des personnages dans le tableau de Jean-Paul Lemieux.

Son index pointait vers le cadre sous verre qui m'avait permis d'observer Bogie à la dérobée. Je me levai pour regarder l'œuvre de plus près. En quittant la table, je vis par la porte-fenêtre que le ciel se couvrait. Ma sœur s'approcha et je lui montrai le personnage féminin qui occupait tout le côté gauche du tableau :

— C'est de cette femme que tu parles ?

— Mais non, elle a une robe gris-bleu. Je pensais plutôt à celle-là.

Elle désignait, au milieu de la toile, une silhouette blanche qui mesurait à peine quelques centimètres. Je ne l'avais jamais remarquée. De plus, elle semblait sur le point de disparaître à l'horizon. J'eus alors une brève illumination, un *flash*, comme disent les gens qui pensent que l'anglais est une langue magique. En un éclair, je compris que la mystérieuse femme était en train de sortir de ma vie.

Pour qui était-elle venue ? Pourquoi était-elle partie ? Ce n'est pas un petit frère qui peut répondre à ce genre de questions. J'avais simplement l'impression qu'une partie de moi, liée à mon enfance, commençait à se détacher. Cette idée me rendit un peu mélancolique, et ma sœur s'en aperçut :

— Es-tu triste à cause de l'histoire que j'ai racontée ?

— Non, je suis triste parce que je vieillis. Mais c'est pas grave.

— Ça veut dire quoi, vieillir, pour toi ?

— Devenir raisonnable.

Elle me regarda un long moment dans les yeux, puis elle me caressa la joue. Sa main était lente et chaleureuse, et j'avais très envie de connaître la suite, mais soudain le grondement du tonnerre se fit entendre.

Un orage se préparait.

— Je ferais mieux de rentrer chez moi, dit-elle.

— Tu es venue comment ?

— En bus.

— Alors je te reconduis avec la Mini.

— Tu es gentil comme tout.

La tempête éclata quand nous arrivâmes à la rue de la Couronne. La pluie tombait dru, le vent soufflait par rafales et on ne voyait presque rien. J'appuyai sur les freins, allumai les phares de nuit et mis les essuie-glace en accéléré. Il fallut attendre plusieurs minutes pour traverser le boulevard Charest, mais ensuite tous les feux étaient au vert. Je n'eus pas de mal à me rendre à la rue Prince-Édouard où je virai à droite après avoir demandé à ma passagère si le couloir d'autobus était libre.

Ma sœur logeait chez une copine en instance de divorce qui avait un cinq-pièces dans la 3e Avenue. Elle avait décidé, cette fois, de rester à Québec aussi longtemps que le vieux Jack n'aurait pas terminé son roman.

— Tu conduis très bien, dit-elle. Pour te remercier, je vais te raconter une petite histoire.

— Vraie ou inventée ? demandai-je.

— Une histoire vraie. Sais-tu ce que Jack m'a dit, la dernière fois que je l'ai vu ?

— Non.

— Il m'a parlé de son roman sur l'Amérique française. Au début, il entrevoyait une sorte d'épopée.

Ils étaient tous là dans sa tête : Champlain et ses projets d'alliance avec les Indiens ; les explorateurs qui élargissaient le territoire jusqu'aux Rocheuses et au golfe du Mexique ; les coureurs des bois et les aventuriers qui parcouraient les régions en tous sens ; les hommes politiques, de Louis-Joseph Papineau à René Lévesque, qui protégeaient la langue et les institutions ; les gens ordinaires, et surtout les mères de famille qui assuraient la survivance du pays par leur labeur quotidien.

Elle s'arrêta pour reprendre son souffle, et poursuivit :

— Toutes ces personnes, Jack voulait les inclure dans son livre. Mais lorsqu'il se mettait à écrire, les mots venaient au compte-gouttes et, chaque jour, le récit perdait de sa force et de son ampleur. C'est ce qu'il m'a raconté. Il a terminé en disant que, pour tous ses livres, les choses s'étaient passées de cette manière.

— Il était découragé ?

— Je ne sais pas. Il a dit : « Quand on écrit depuis longtemps, on ne distingue plus très bien ce qui est vrai et ce qui est faux. Certains jours, on se demande même si on est vivant ou mort. »

Ma sœur me regardait de biais. Décontenancé, je ne trouvai rien à dire. Je réduisis la vitesse des essuie-glace parce qu'il pleuvait moins fort.

Nous arrivions au pont Dorchester qui enjambe la rivière Saint-Charles et débouche sur la 3ᵉ Avenue. La pluie cessa. J'arrêtai les essuie-glace et jetai machinalement un coup d'œil dans le rétroviseur.

Nous étions suivis : la maudite Shadow était derrière nous.

Lorsque j'expliquai ce qui se passait à ma sœur, elle se retourna et déclara qu'elle avait aperçu plusieurs fois cette voiture en stationnement devant l'appartement de sa copine. Nous étions rendus au milieu du pont. Elle me demanda d'arrêter la Mini, juste pour voir. J'obéis et, tout de suite, la Shadow s'immobilisa elle aussi. Bogie descendit de l'auto et alla s'accouder au parapet. Il portait comme d'habitude son feutre et son trench-coat. La tête penchée, il avait l'air de regarder l'eau qui coulait vers le fleuve.

— Attends une petite minute, dit ma sœur.

Elle sortit de la Mini en claquant la portière et se dirigea vers l'homme. J'observais la scène dans le rétroviseur. Le policier faisait semblant de ne pas la voir. Quand elle lui toucha l'épaule, il se retourna. Alors elle se mit à lui parler. Elle agitait le doigt sous son nez, approchait son visage tout près du sien, c'était une véritable engueulade.

Brusquement, elle le quitta et revint vers moi. À mi-chemin, elle s'arrêta. Elle se contenta de tourner la tête vers lui. Je le vis remonter très vite dans la Shadow. La voiture noire fit demi-tour à l'entrée du pont et je la perdis de vue quand elle s'engagea dans la rue Prince-Édouard.

J'espérais ne plus la revoir.

16

UN COUP DE DÉPRIME

Si j'en croyais mon expérience, ma prochaine lecture à Limoilou allait sortir de l'ordinaire. Je pensais même qu'elle pouvait avoir une influence sur le reste de sa vie. Il fallait donc que je prépare cette séance avec un soin particulier, mais je n'y arrivais pas : les problèmes de Jack occupaient tout mon esprit.

Il était cinq heures de l'après-midi lorsque, abandonnant l'étude du journal de Lewis et Clark, je pris l'ascenseur pour aller chez mon frère au douzième étage. Ma sœur et moi, nous avions passé une semaine sans lui rendre visite.

Je frappai deux petits coups. Il n'y eut pas de réponse. Je recommençai, un peu plus fort, et tendis l'oreille. Aucun bruit, même pas le ronron de la télé. J'allais me servir de ma clé quand la porte s'entrouvrit. Jack avait le visage défait, ses cheveux gris étaient en désordre.

— Qu'est-ce que tu veux ? bougonna-t-il.

— Rien, dis-je, en me faufilant dans l'entrée. Je viens voir si tout va bien.

— C'est la petite sœur qui t'envoie ?

— Non, mais tu ne donnes plus de nouvelles.

C'était vrai. Depuis un mois, peut-être, mon frère ne téléphonait plus pour me demander si je me rappelais le titre ou les paroles d'une chanson, ou encore les mots exacts d'un livre dont il voulait citer un passage.

Je fis quelques pas dans la pièce de séjour. Des vêtements traînaient sur le dossier des chaises, et il y avait des livres sur la table, le sofa, le dessus de la bibliothèque. La radio jouait, mais très bas. Jack referma la porte et vint me rejoindre.

— Qu'est-ce que tu veux savoir au juste ?

— Par exemple, comment tu vas.

— Je suis une ruine ambulante, mais à part ce petit détail, tout va bien.

Cette réponse me laissa tout interdit. Je me mis à contempler, par la porte-fenêtre, le très vaste paysage que les locataires du haut de la Tour avaient sous les yeux. L'été touchait à sa fin. Au loin, dans les Laurentides, on apercevait déjà quelques taches d'un rouge vif. Tandis que je regardais ces montagnes arrondies, qui passaient pour être parmi les plus vieilles du monde, il me revint en mémoire que Jack venait d'avoir cinquante ans. Nous n'avions pas souligné cet anniversaire : l'arrivée d'une nouvelle décennie lui faisait toujours l'effet d'une condamnation à mort.

Il se laissa tomber dans sa chaise longue et ferma les yeux. C'était mon frère, il avait l'air découragé, alors je cherchai un moyen de le faire parler. L'écriture étant le sujet sur lequel il s'exprimait le plus volontiers, je lui demandai des nouvelles de son roman.

— C'est pas le chef-d'œuvre immortel de Fenimore Cooper, dit-il.

La plaisanterie n'était pas neuve, mais je fus rassuré de voir qu'il pouvait encore se moquer de lui-même.

— Ça avance ?

— J'approche de la fin, mais tout ce que je peux faire, en ce moment, c'est une demi-page le matin. Les mots arrivent *à petites gouttes*.

Ce n'était pas la première fois que Jack employait cette expression. J'avais presque la certitude qu'il pensait à certains propos tenus par Hemingway en réponse à un journaliste qui l'interrogeait sur sa vie privée. Le célèbre écrivain avait laissé entendre qu'il s'abstenait de faire l'amour chaque fois qu'il avait à décrire des rapports intimes dans un roman ou une nouvelle. Ce qui revenait à dire que la libido et l'écriture provenaient de la même source.

— Les mots viennent *à petites gouttes* parce que je suis vieux, dit-il. Te rends-tu compte que j'ai cinquante ans ?

— Ah oui ? Je ne le savais pas.

Je mentais. On a le droit, quand on veut éviter de faire de la peine à quelqu'un. Il gardait les yeux fermés. Je compris qu'il se repliait sur lui-même, alors je risquai :

— L'âge, c'est dans la tête...

— Es-tu fou ? L'âge, c'est dans les jambes ! Le matin, j'ai de la misère à marcher : mes jambes sont comme des bouts de bois. En plus, à l'heure des repas, je ne suis même pas capable de manger comme du monde. Quand j'ouvre un plat cuisiné pour une personne, j'en mange seulement la moitié. Je divise tout par deux. Je ne bois ni café ni vin. Mon estomac ne digère plus rien et je passe toute la journée à me faire des tisanes. Si tu veux le savoir, j'ai honte de moi.

Il se tut. Je me demandais si le fait de s'exprimer lui procurait du soulagement ou bien si, au contraire, cela aggravait sa douleur comme lorsqu'on gratte une plaie qui nous démange. Par prudence, je le ramenai sur le terrain de l'écriture :

— C'est pas le genre de choses que tu peux mettre dans ton roman ?

— Bien sûr, mais ça n'arrange rien.

— Comment ça ?

— Chaque fois que je relis mon texte, j'ai l'impression de n'avoir écrit que des choses insignifiantes.

— Pourtant, les chroniqueurs littéraires font l'éloge de tes livres.

— Ça ne veut rien dire : ils sont tout aussi élogieux quand ils parlent d'un auteur que je n'aime pas.

— Tu penses à quelqu'un en particulier ? demandai-je avec un brin de malice.

— Oui.

Il réfléchissait. J'avais hâte d'entendre la suite. Au bout d'un moment, il secoua la tête. Pas de chance, il avait oublié le nom de l'auteur. Il perdait la mémoire des noms.

Brusquement, il se leva.

— Je pense que j'ai son dernier livre.

Se plaçant devant la section québécoise de sa bibliothèque, il posa un genou au sol pour ménager son dos fragile. Il parcourait des yeux chacune des rangées. En même temps, il faisait glisser le bout de ses doigts d'un livre à l'autre. Et il marmonnait. Je saisissais quelques mots par-ci, par-là. Il pestait contre les auteurs qui écrivaient un roman en deux mois et qui défilaient ensuite dans toutes les émissions de radio et de télé. Devenir un écrivain médiatique était pour lui la pire des déchéances.

— Je ne trouve rien, dit-il. Mes livres sont tout mélangés, on dirait qu'une personne est venue fouiller dans mes affaires.

Il se remit dans son fauteuil en me jetant un regard soupçonneux. Son visage prit un air chagrin et je craignis qu'il ne retombe dans la déprime.

— Écoute, dis-je. Tu fais le métier que tu as choisi. Tu gagnes assez bien ta vie. Tout le monde ne peut pas en dire autant.

— Tu as raison, dit-il sur un ton faussement léger. Au fond, je suis un vieux chialeux. Oublions tout ça. Comment va la jeune Limoilou ?

— Elle prend de l'assurance. C'est une fille qui a beaucoup de caractère et on dirait qu'elle va bientôt devenir plus autonome.

— Et ta jeune cliente qui est dans le coma ?

— La semaine dernière, elle s'est réveillée. Elle a regardé son copain, puis elle s'est rendormie.

— Pendant que tu lui faisais la lecture ?

— Oui, mais...

Jack avait les yeux ronds. Je ne savais pas si c'était de la surprise ou de l'admiration. En tout cas, il ne m'avait jamais regardé de cette manière.

— Toi, au moins, dit-il, tu fais un métier qui sert à quelque chose.

Mon travail de lecteur me plaisait beaucoup, mais je n'étais pas certain de son efficacité : voilà ce qui arrive quand on est un petit frère. Je voulus faire part de mes doutes au vieux Jack, pour qu'il se sente moins seul, mais je ne trouvai pas les mots. Pendant ce temps, à la radio, on entendait Sylvain Lelièvre. La chanson disait :

Se peut-il qu'en prenant de l'âge,
on déserte son propre cœur ?

Il faut croire que ces paroles touchèrent une corde sensible dans l'âme de mon frère, parce que, d'un seul coup et à mon grand désarroi, il se mit à pleurer. Cela ne lui était pas arrivé, me semblait-il, depuis le jour où sa femme l'avait quitté pour aller s'installer avec un homme plus jeune.

Jack ne pleurait pas vraiment. Ses épaules tressautaient et tout son corps était agité de soubresauts. On aurait dit qu'il étouffait. Il se tourna sur son côté gauche, dans sa chaise longue, et releva les genoux sous son menton. Je m'approchai et, après une courte hésitation, je posai une main sur son épaule. Il fit non de la tête, assez vivement, alors je retirai ma main. J'allai m'asseoir à la table, du côté où l'on pouvait voir les montagnes se découper sur le ciel gris.

Je restai avec lui jusqu'à ce qu'il eût retrouvé son calme. Alors il toussota et, d'une voix un peu rauque :

— Une chose me console, dit-il.

— Qu'est-ce que c'est ? demandai-je.

— Au moins, je suis biodégradable.

Sur cette curieuse affirmation, il me pria de m'en aller et c'est ce que je fis.

17

LA FEMME-OISEAU

En garant l'auto près du chalet, ce jour-là, je jetai un regard en biais vers l'étang où Marine était en train de se baigner. La belle rousse ne portait pas de maillot : l'endroit était, à son avis, un coin de paradis. Elle nageait très bien le crawl et accumulait les longueurs. Par moments, elle disparaissait sous la surface avant d'atteindre la rive, et soudain je la voyais émerger à l'autre bout de l'étang. Elle évitait de toucher le fond, vaseux et limoneux, pour ne pas brouiller l'eau. Assise sur le quai, les genoux sous le menton, la petite Limoilou admirait le spectacle.

Je tirai de ma serviette le journal de Lewis et Clark et l'appuyai sur le volant de la Mini. Je faisais semblant de relire le texte, mais en réalité je n'arrêtais pas de loucher vers l'étang en contrebas. J'attendais le moment où Marine allait sortir de l'eau.

Les petits frères ne sont pas faits en bois.

Depuis ma dernière séance de lecture, Lewis et Clark avaient connu mille difficultés dans leur progression vers le Pacifique : les remous du Missouri, les bancs de sable, la force du courant, les nuées d'insectes, l'agressivité de quelques Indiens. En revanche, ils avaient mis à profit l'endurance des pagayeurs, l'expérience des guides et interprètes canadiens-français, l'habileté du chasseur Georges Drouillard, la bonne humeur du Métis Pierre Cruzatte et l'hospitalité de certaines tribus, comme les Mandans.

Tout en surveillant les prouesses de Marine du coin de l'œil, je songeais à l'accueil chaleureux que les jeunes femmes mandans avaient réservé aux membres de l'expédition. Chaque Indienne prenait un voyageur par la main et, le conduisant à un tipi où elle le faisait s'allonger sur une peau de bison, elle lui prodiguait toutes les caresses qu'il désirait.

Ces images défilaient dans mon esprit lorsque je me rendis compte, en levant les yeux, que la belle Marine était sortie de l'eau. Debout sur le quai, me tournant le dos, elle sautillait d'une jambe sur l'autre, la tête penchée de côté : elle avait de l'eau dans les oreilles ou bien c'était pour faire sécher ses longs cheveux roux.

Limoilou lui enveloppa les épaules dans une serviette de plage sur laquelle était imprimé un grand totem comme on en voit chez les tribus de la côte Ouest. Elle lui frictionna le dos et l'embrassa sur les deux joues. Ensuite elle me fit un signe pour dire qu'elle m'avait vu. Presque à la course, elle monta le sentier qui ondulait entre les salicaires magenta et les épervières jaunes ou orangées. Au lieu du t-shirt extra large dans lequel elle avait coutume de flotter, elle portait un jean bleu pâle et une camisole blanche très serrée. Le temps que je sorte de l'auto, elle était déjà sur le perron du chalet et m'ouvrait la porte-moustiquaire. Elle avait les pieds nus.

— Salut! fit-elle.

— Bonjour!

Je fis comme si je n'avais pas remarqué sa nouvelle tenue et j'entrai dans le solarium. Tout de suite, elle se plaça devant la carte que mon frère avait fixée au mur: elle voulait savoir exactement où les explorateurs étaient rendus. Je lui indiquai d'abord à quel endroit se trouvait le village des Mandans sur le Missouri. Il ne me sembla pas nécessaire de parler des faveurs accordées par les Indiennes, alors je m'attardai plutôt sur le fait que, dans ce campement, Lewis et Clark avaient engagé un autre Canadien français qui pouvait servir d'interprète. Il s'appelait Toussaint Charbonneau et avait plusieurs épouses indiennes.

— Plusieurs? s'étonna Limoilou.

— C'était la coutume, dis-je, en esquissant un geste d'impuissance. Il avait au moins deux épouses. La plus importante était Sacagawea, ce qui veut dire Femme-Oiseau.

— Ah oui, tu m'as déjà parlé d'elle.

— Je vais t'en parler plus longuement, mais il faut d'abord que j'explique une ou deux choses.

Limoilou croisa les bras pour signifier qu'elle m'écoutait patiemment. Sans perdre de temps, je relatai les principaux événements vécus par les membres de l'expédition après leur rencontre avec les Mandans.

La troupe de Lewis et Clark s'était remise en marche. Charbonneau et Sacagawea en faisaient partie. L'Indienne portait sur son dos un bébé de quelques mois. Les explorateurs disposaient de nouveaux canots, mais la navigation sur le Missouri était toujours aussi pénible. Le vent du nord, à présent, causait les plus graves problèmes. Un jour, c'est le drame : une bourrasque frappe de plein fouet l'embarcation principale qui transporte les instruments, les papiers, les médicaments, les articles destinés au troc avec les Indiens. Charbonneau, qui se trouve au gouvernail, cède à la panique et le canot se couche sur le côté. La Femme-Oiseau se lance dans l'eau froide. Malgré la force du courant, elle parvient à récupérer la plupart des objets précieux.

Quand j'eus fini de raconter cet accident, Limoilou se tourna vers la fenêtre. Les yeux brillants, elle regardait Marine qui prenait le soleil sur le quai en compagnie des chats. Je constatai, avec une pointe de jalousie, qu'elle s'intéressait autant à l'Irlandaise qu'aux exploits de l'Indienne. Comme toujours, je fis semblant de ne rien voir et je marquai le lieu du drame sur la carte. Je situai en même temps d'autres étapes du parcours des explorateurs : le face à face avec un grizzly, le grand portage pour contourner les cinq chutes du Missouri, les Rocheuses, la ligne de partage des eaux.

— Merci pour tous les détails, dit Limoilou en s'installant dans sa chaise longue. Je peux te demander quelque chose ?

— Bien sûr, dis-je.

— Tu veux bien me lire ce qu'ils écrivent dans leur journal lorsque la Femme-Oiseau plonge dans la rivière ?

Mon livre était bourré de signets, alors je trouvai la page exacte en quelques secondes. C'est ce qui arrive quand on est un pro. J'eus même le temps de penser à mon idole, Henri Richard : trois coups de patin, et déjà il filait à toute vitesse. Il aurait été fier de moi. Je m'assis dans la chaise berçante et je lus ce que le capitaine Lewis avait écrit :

L'Indienne, à qui je reconnais autant de courage et de résolution qu'à quiconque au moment de l'accident, a récupéré la plupart des petits articles qui avaient été emportés par les eaux.

— C'est tout ? demanda la fille.
— Oui, dis-je. C'est plutôt... mesquin.
Un peu plus, j'employais le mot *cheap*, comme si je pensais encore une fois que l'anglais... Au lieu de m'attarder à cette idée, je m'efforçai de rassurer Limoilou :
— Tu vas voir, les explorateurs vont bientôt changer de ton. Ils arrivent au pied des Rocheuses et le sort de l'expédition va dépendre de la Femme-Oiseau. Lewis écrit :

Nous sommes à plusieurs centaines de milles, au cœur d'une région montagneuse, où tout laisse à penser que le gibier va bientôt devenir rare et notre subsistance précaire, sans aucune information sur le pays, ne sachant pas jusqu'où ces montagnes continuent ni

de quel côté nous diriger pour les traverser
ou rencontrer une branche navigable de la
Columbia.

— Je peux te demander encore quelque chose ?
— Mais oui.
— Approche-toi et mets ta chaise en face de moi.
Je fis comme elle disait.
— Plus près... Très bien, maintenant place tes pieds contre les miens.

Elle se redressa dans sa chaise longue. De cette façon, nos jambes se trouvaient à la même hauteur et, une fois que mes pieds furent appuyés contre les siens, je posai mes talons sur le rebord tubulaire qu'elle venait de libérer. Ce n'était pas la position la plus confortable, mais sa peau était si douce et si lisse que j'avais le goût de lire très longtemps. À condition que ma voix ne se mette pas à trembloter.

— C'est parfait, dit-elle. À présent, j'ai hâte de savoir ce que la Femme-Oiseau a fait pour aider les explorateurs. C'est ce que tu vas me raconter, n'est-ce pas ?

— Exactement ! Puisque tu devines si bien, est-ce que tu pourrais me dire ce que Lewis et Clark ont décidé en arrivant aux Rocheuses ?

— À leur place, je déciderais d'abandonner les canots parce que, dans les montagnes...

Elle termina sa phrase par une grimace comique. Ensuite, je demandai :

— Mais comment vont-ils s'y prendre pour transporter les bagages ?

— Je ne sais pas, dit-elle.

— Excuse-moi, tu ne peux pas le savoir : il y a plusieurs choses que j'ai oublié de te dire.

— Alors raconte !

J'expliquai en deux mots à Limoilou que l'expédition avait été préparée avec le plus grand soin par le président Jefferson. Les explorateurs savaient depuis longtemps que, pour se rendre au Pacifique, ils devaient franchir les montagnes Rocheuses. Ils savaient aussi que cette escalade n'était possible que s'ils se procuraient des chevaux auprès des Shoshones.

— Est-ce que je t'ai dit que Sacagawea était une Shoshone ?

— Je pense que oui, mais je l'avais oublié.

— Elle avait passé son enfance dans la région des Rocheuses. Encore très jeune, elle avait été capturée par une tribu ennemie et traitée en esclave jusqu'au moment où Toussaint Charbonneau l'avait achetée pour en faire son épouse.

Très discrètement, je vérifiai si Limoilou ne tiquait pas sur le verbe « acheter ». Elle leva les sourcils, mais ne fit aucun commentaire. Il valait mieux ne pas mentionner que Charbonneau était un homme rude et qu'elle recevait parfois des gifles. Je m'étendis plutôt sur le rôle qu'elle avait joué dans la recherche des Shoshones, la tribu qui faisait l'élevage des chevaux.

— Ils n'étaient pas là ? s'inquiéta la fille.

— Non. Ils étaient partis à la chasse.

— Alors, qu'est-ce qu'elle a fait ?

— Les explorateurs étaient bien énervés parce que, si on n'obtenait pas de chevaux, l'expédition devenait un échec. Heureusement, la Femme-Oiseau a reconnu les lieux que sa tribu fréquentait depuis toujours, et tout le monde a été rassuré.

— Ils ont écrit ça dans leur journal ?

— Bien sûr. Attends un peu...

Je trouvai très vite ces quelques lignes :

Sur une haute plaine à notre droite, l'Indienne a reconnu un endroit qui, selon elle, ne serait pas très distant du séjour d'été de sa nation. Les siens nomment cette colline la Beaver's Head à cause de la ressemblance de sa forme avec la tête du castor.

— Qu'est-ce qui arrive ensuite ?

— Ils ont hâte de voir les Shoshones pour leur acheter des chevaux, alors ils les cherchent partout. Ils cherchent également un endroit pour franchir les montagnes, je veux dire un sentier, un chemin, un...

— Un col ?

Limoilou n'avait pas coutume de réagir autant à une lecture. Je devais avoir l'air très étonné, car elle me fit un sourire timide et, pour mon plus grand plaisir, elle frotta ses pieds contre les miens. En guise de remerciement, je lui lus un passage où la Femme-Oiseau retrouvait enfin la tribu de son enfance :

On envoya chercher Sacagawea. Elle vint, s'assit, et elle commençait à servir d'interprète quand elle poussa un cri : en Cameahwait elle venait de reconnaître son frère ! Elle se releva d'un bond et courut l'embrasser en jetant sur lui sa couverture et en pleurant à chaudes larmes.

Les yeux de Limoilou se mirent à briller. Après m'être inquiété un moment, je compris qu'elle était simplement heureuse. Elle avait des traînées de lumière sur le visage. En sortant du chalet avec elle, j'étais content de moi, j'avais l'âme légère. J'aperçus Marine qui se promenait dans l'herbe de l'autre côté de l'étang, alors je la saluai de la main avant de m'asseoir dans la Mini Cooper. Quand elle me rendit mon salut, la grande serviette qui entourait ses épaules s'entrouvrit un instant.

Je gardai cette image en mémoire pour qu'elle me tienne compagnie sur le chemin du retour à Québec.

18

LE CÉLÈBRE MANUSCRIT

Quand ils ont choisi mon nom, mes parents avaient en tête une chanson de Félix Leclerc. Celle qui dit :

Francis, ton chapeau
A l'air d'une enveloppe de coco.

Chaque fois que je portais un couvre-chef, à l'école primaire de mon village, il y avait toujours un zouave pour me chanter cette chanson. Un attroupement se formait autour de nous et, la plupart du temps, j'étais obligé de me battre. Heureusement, ma sœur fréquentait la même école. Elle sautait la clôture qui séparait les filles des garçons, bousculait les spectateurs et mettait mon adversaire en fuite.

J'étais encore petit lorsque j'ai entendu des mots que je n'oublierai jamais. Comme toujours, aux vacances de Noël, la maison était pleine d'invités. Un soir, pendant que les adultes jouaient aux cartes, on m'avait envoyé au lit : ce n'était pas une heure pour les enfants. Je ne suis sûr de rien, peut-être que je rêvais, mais il me semble qu'un de mes oncles a laissé entendre que je n'avais pas été « désiré », que j'étais arrivé «par surprise». Certains mots restent collés au fond de notre mémoire.

Longtemps après, j'en ai parlé à ma sœur. Elle m'a dit que je ne pouvais pas trouver une meilleure raison de me tailler une place au soleil. C'est ce que j'ai essayé de faire. Si je n'ai pas réussi, au moins j'ai découvert ce que j'appelle ma «ligne de vie». Elle va tout de travers, elle oscille entre le rêve et la réalité, mais c'est la mienne. Pour la plupart des gens, la réalité est ce qui compte le plus. Ce n'est pas mon opinion. J'aime autant me fier à quelqu'un comme monsieur Jim Harrison, quand il écrit : «Seuls nos rêves donnent à la vie un minimum de cohérence.»

Depuis quelque temps, la réalité prenait trop de place dans mon existence. J'aidais mon frère à se concentrer sur son histoire. Mes séances de lecture avaient redonné le goût de vivre à la petite Limoilou. Le jeune Alex devait bientôt sortir de l'hôpital avec une valve cardiaque toute neuve. J'étais parvenu, en apparence tout au moins, à réveiller la fille qui se trouvait dans le coma à la suite d'un accident de moto. Et j'avais rendu service à un certain nombre de personnes que je n'ai pas mentionnées jusqu'ici : une jeune veuve, un homme diabétique et aveugle, une institutrice déprimée, un vieillard abandonné de tous, quelques enfants malades, des parents dont la fille était en fugue.

Comme j'avais bien travaillé, je méritais de me replonger dans le domaine du rêve, pour rétablir l'équilibre. Plusieurs possibilités s'offraient à moi.

Je pouvais refaire le rêve du hockey ou bien entrer dans ceux du baseball ou du tennis.

Le rêve du baseball se déroulait au parc Jarry, à l'époque des Expos. J'intervenais pendant l'entraînement des frappeurs. Soudain, je prenais la place de l'un d'eux et je tapais des circuits à volonté. Le gérant Gene Mauch s'amenait. Quand il me demandait à quelle position je jouais sur le terrain, je répondais que j'étais lanceur. Il m'envoyait au monticule, et alors je lançais des balles avec des effets que personne n'avait jamais vus. Je retirais tous les frappeurs sur trois prises, y compris le meilleur d'entre eux, Rusty Staub, surnommé le Grand Orange.

Le rêve du tennis avait lieu à Wimbledon. C'était le matin, et mon idole, Pete Sampras, se réchauffait en compagnie d'Andre Agassi. Subitement, venant du sac de ce dernier, on entendait la sonnerie d'un portable. Agassi répondait, et on devinait à la douceur de sa voix que l'appel venait de sa blonde, Steffi Graf, celle qui jouait au tennis comme une danseuse. C'était une urgence, Agassi s'absentait quelques minutes, laissant sa raquette sur une chaise. J'entrais alors sur le court. Je prenais la raquette, je disputais un match à Sampras et je le battais 6 à 0.

Mes trois rêves – hockey, baseball, tennis – étaient comme de vieux compagnons, et je les aimais parce que je pouvais toujours en modifier la durée, remplacer un personnage par un autre, faire n'importe quel changement. Mais, cette fois, j'avais vraiment le goût de forger un nouvel espace de rêve. Je me couchai sur mon lit, dans la position du fœtus, et je fermai les yeux. Petit à petit, j'inventai l'histoire qui suit.

J'étais avec ma sœur. Nous arrivions à l'ancien musée de l'Amérique française, qui se trouve à l'entrée du Petit Séminaire, dans le Vieux-Québec. Ma montre indiquait 16 heures 55. Nous devions pousser la porte cinq minutes avant l'heure de la fermeture, tout se passait comme prévu. Ma sœur entrait la première et je lui emboîtais le pas. Les surveillants avaient quitté le musée, il ne restait plus que le préposé à l'accueil. Un jeune homme d'allure timide. Les clés étaient devant lui sur le comptoir.

Ma sœur s'avançait et, se penchant, se plaçait juste en face de lui. Elle avait déboutonné sa chemise, ses formes généreuses débordaient un peu, c'était notre plan. Le jeune homme faisait des efforts pour la regarder dans les yeux, mais il ne pouvait s'empêcher de battre des cils. Tout allait bien. Ma sœur disait qu'elle voulait seulement jeter un coup d'œil dans la première salle. Il regardait l'horloge, mais elle le prenait par la main et l'emmenait avec elle en lui murmurant des choses très douces. Pendant ce temps, je me servais des clés pour ouvrir la porte coulissante d'une vitrine qui contenait un coffret en métal. C'était l'objet de notre convoitise. Je m'en emparais, puis je remettais les clés sur le comptoir et sortais rapidement du musée.

Il était entendu que ma sœur allait se débrouiller pour que le préposé ne remarque pas la disparition du coffret. Nous allions le rapporter à la première heure le lendemain, après avoir photocopié, à l'intention du vieux Jack, les précieux documents qui s'y trouvaient. Nous voulions aider mon frère à terminer son roman sur l'Amérique française.

Dans mon rêve, le coffret contenait un trésor : le célèbre manuscrit de Louis Jolliet. Le journal qu'il avait rédigé au retour de son grand voyage sur le Mississippi avec le père Marquette, et qu'il avait perdu à tout jamais en faisant naufrage dans les rapides de Lachine.

19

LES COULEURS DE L'AUTOMNE

En me rendant au chalet, ce jour-là, je ne savais pas à quoi m'attendre. C'est Marine qui m'avait invité. Il ne pouvait pas s'agir d'une lecture à Limoilou : nous étions au milieu de la semaine. J'étais intrigué, mais aussi très heureux à l'idée de revoir la belle rousse, dont l'image m'obsédait depuis ma dernière visite.

Les deux filles m'attendaient sur le perron. Elles avaient chacune un chat sur les genoux. Limoilou était en jean avec un chandail à capuchon, et Marine portait une jupe et un col roulé aux couleurs de l'automne. En cette fin de matinée, l'air était encore frais. Une petite fumée grise sortait de la cheminée.

Les chats s'enfuirent en apercevant la Mini Cooper. Quand les filles se levèrent pour m'accueillir, je devinai qu'il se préparait quelque chose d'inhabituel. C'était la première fois que je voyais Marine en jupe. Je ne me sentais pas très à l'aise. Dans le vestiaire des Canadiens, Henri Richard gardait les yeux fixés au sol.

— Ne t'inquiète pas, dit Marine.

J'allais répondre que je n'étais pas inquiet du tout, mais Limoilou me souriait avec une telle candeur que je m'arrêtai juste à temps. Les filles m'embrassèrent à tour de rôle, puis m'invitèrent à entrer. La table du solarium était recouverte d'une nappe à carreaux bleus sur laquelle je vis toutes sortes de hors-d'œuvre, des sandwiches découpés en triangle et un grand bol de salade au jambon et aux fruits. Pour ne pas faire les choses comme tout le monde, je m'abstins de poser la question traditionnelle : «Qu'est-ce qui me vaut l'honneur ?» Pendant le repas, je fus l'objet de multiples attentions et je compris qu'on voulait me remercier pour mes séances de lecture. La gentillesse des filles me réchauffait le cœur, d'autant plus qu'elles n'arrêtaient pas de remplir mon verre de rosé.

Mes idées s'embrouillaient.

On se moqua doucement de moi lorsque je marmonnai que je tenais beaucoup à faire la vaisselle. Les yeux verts de Marine s'accrochaient aux miens et m'enveloppaient de leur chaleur. J'étais fasciné, mais incapable de dire avec précision ce qu'elle avait en tête.

Tout à coup, Limoilou se leva et déclara qu'elle allait faire un tour. Elle voulait descendre le sentier tortueux menant au bord du fleuve et passer un moment avec les chevaux de course à la retraite. Comme elle avait des tas de choses à leur conter, son absence risquait de se prolonger jusqu'à la fin de l'après-midi.

Marine proposa du café. La tête me tournait et j'acceptai avec reconnaissance. Je la suivis d'un pas mal assuré dans la cuisine. Le café était fort. J'en bus deux tasses, mais ce ne fut pas suffisant pour me dégriser. Elle me prit alors par la main et, me conduisant dans sa chambre, elle me fit allonger sur son lit. J'étais quelque peu surpris. C'était difficile de ne pas songer aux invitations faites par les Indiennes de la tribu des Mandans. Quand elle se pencha vers moi pour m'enlever mes chaussures, sa longue chevelure débloula sur mes jambes. À travers les brumes de mon cerveau, je me rendis compte que cette fille de mon âge m'attirait depuis toujours. Je n'avais pas osé le reconnaître : d'abord c'était l'amie de mon frère, et puis elle avait un caractère emporté qui me faisait peur.

Quand elle allongea le bras pour redresser l'oreiller, je pris sa main. Je l'effleurai avec mes lèvres comme on le faisait dans les temps anciens. Il me semblait que ses yeux me disaient des mots doux. Je tirai légèrement sur son bras et, en même temps, je m'écartai pour lui faire une place dans le lit. Elle se coucha près de moi.

— Bonjour, le petit frère ! dit-elle sur un ton enjoué.

— Bonjour !

Elle se mit sur le côté, les jambes fléchies, et repoussa ses cheveux dans son dos. Ensuite elle plaça une main entre ses genoux, retroussant sa jupe, et glissa l'autre sous l'oreiller.

— Qui es-tu ? demanda-t-elle, sans changer de ton.

— Je ne sais pas exactement.

— C'est à cause du rosé ?

— Oui, mais pas seulement.

Il y avait une patience infinie dans ses yeux, alors je tentai pendant quelques minutes de m'éclaircir les idées. Mes efforts n'aboutirent à rien. À la fin, elle proposa :

— As-tu le goût de me dire à quoi tu penses ?

— Je peux essayer, dis-je.

Elle ferma les yeux à moitié et puis, retirant sa main de sous l'oreiller, elle la plaça avec celle qui était entre ses genoux. Ce geste retroussa sa jupe un peu plus haut, mais je fis comme si je n'avais rien vu.

— L'invitation, c'était à cause de mes lectures ?

— Bien sûr.

— C'est très gentil. Mais tu sais, il est arrivé une chose imprévue.

— Ah oui ?

— Tu m'avais dit que la lecture était une forme de thérapie. T'en souviens-tu ? C'était au début de l'été.

— Je m'en souviens. Et alors ?

— Eh bien, on dirait que la thérapie a marché dans les deux sens. Limoilou a changé, mais elle n'est pas la seule : j'ai changé moi aussi.

Marine libéra sa main droite, me caressa la joue et le dessous du menton, puis elle la remit entre ses genoux.

— Tu as changé de quelle façon ?

— C'est difficile à dire. Et je ne sais pas du tout par où commencer.

— Dis la première chose qui te vient à l'esprit.

— O.K... C'est comme s'il y avait plusieurs personnes en moi !

— Plusieurs personnes ?

Dans ma tête, les brumes se dissipaient. Je fis un effort pour réfléchir.

— Non, je me suis mal exprimé. Je voulais dire : tous ceux dont j'ai parlé dans mes lectures font maintenant partie de moi. Tu comprends ?

— Je pense que oui.

À mon tour, je lui caressai la joue, aussi délicatement que possible. Elle ferma les yeux. Je tentai de poursuivre l'explication, mais mon cœur battait trop vite et les phrases sortaient en désordre. Pourtant, je ne songeais pas à des choses tellement compliquées. Je pensais à Charbonneau, Drouillard, Cruzatte, et à tous les autres, les obscurs et les sans-grade ; aux grands explorateurs, Jolliet, La Salle et La Vérendrye ; et même à mon père, qui était capable de bâtir une maison. À propos de tous ces gens-là, je voulais dire qu'un peu de leur sang, mélangé à du sang indien, coulait dans mes veines. J'avais tardé à m'en rendre compte. C'étaient les séances de lecture qui avaient déclenché ma prise de conscience.

Marine se mit à me regarder attentivement et je voyais bien qu'elle cherchait à lire dans mes pensées. J'attendais un commentaire, mais elle glissa plutôt une main sous mon chandail de laine. Elle essayait peut-être de me dire qu'il était préférable de recourir aux gestes plutôt qu'aux mots pour résoudre certaines questions. Je partageais son avis, surtout que sa main était bien chaude, mais il fallait que je parle un peu de Jack parce que j'avais le sentiment de prendre sa place.

— Ne te casse pas la tête, dit-elle. Je me suis entendue avec lui.

— Merci beaucoup, dis-je simplement.

— De rien.

— Je peux dire encore deux ou trois petites choses ?

— Bien sûr.

— Jack a presque fini son livre. Il a trouvé un titre : *L'anglais n'est pas une langue magique.* C'est une phrase que j'avais prononcée devant lui.

— Drôle de titre pour un roman...

— C'est ce que je lui ai dit. Il a répondu que la langue magique était le français, qu'il le montrait dans son livre et que moi-même j'en avais fait la preuve avec mes séances de lecture.

Marine ne répondit rien. Sa main descendait vers mon ventre en faisant de petits détours. Je dis encore :

— Tant qu'il n'aura pas fini son livre, ma sœur et moi, on va s'occuper de lui. Voilà, c'est tout. Non, une dernière chose... Jack n'est pas très content de son roman. Il se reproche d'avoir utilisé un ouvrage écrit en *anglais*, le journal de Lewis et Clark, pour montrer la place que le *français* occupait en Amérique... Bon, cette fois je n'ai plus rien à dire.

Elle me fit un sourire très doux en me regardant tranquillement, comme si nous avions toute la journée devant nous. Au bout d'un long moment, elle approcha son visage et m'embrassa sur la bouche. À mon tour, je glissai mes mains sous son chandail. Sa poitrine était libre, chaude et ferme. Elle ronronna comme un chat. Puis elle fit passer mon chandail par-dessus ma tête. Je lui rendis la pareille, avec prudence à cause du col roulé, et en posant mes lèvres sur tous les espaces que je me trouvais à découvrir.

Il n'y avait pas d'agressivité dans ce que nous faisions, seulement des caresses et des fous rires. Marine était plus douce que je ne l'avais pensé. Elle m'enleva tous mes vêtements, et je lui retirai les siens. Et le reste arriva tout seul ou presque, comme si j'étais poussé par les gens qui étaient venus avant moi, mon père et tous les autres. Je pris même l'initiative de ralentir mes gestes parce que j'avais le goût que le plaisir ne s'arrête jamais.

À la fin, je n'étais pas sûr d'être encore un petit frère.

20

LA PETITE LISEUSE

Limoilou était avec moi dans la Mini Cooper.

Nous emportions une partie de ses bagages et un sac de plastique contenant des livres. Elle s'était retournée plusieurs fois vers le chalet pendant que l'auto grimpait le chemin de terre menant à la route principale. Je pensais à la chanson de Léo Ferré, *Si tu t'en vas*.

Nous roulions sur le Chemin Royal en direction de Québec. C'était l'été des Indiens. Je conduisais lentement pour donner le temps à Limoilou de voir les endroits que j'aimais le plus. Le paisible cimetière où les gens déposaient des souliers sur la tombe de Félix Leclerc. Une maison ancestrale au toit de bardeaux et aux fenêtres bleues, *L'isle de Bacchus*, qui se cachait dans les arbres comme par humilité. Le pont de l'île qui s'ouvrait à la manière d'un rideau de scène devant la grande chute Montmorency.

Sur l'autoroute Dufferin, j'empruntai la voie la plus lente.

Les battures étaient couvertes d'oies sauvages. Limoilou avait replié ses jambes sous elle et se balançait d'avant en arrière. Ses yeux brillaient et elle tournait la tête à gauche pour admirer le fleuve, puis à droite pour regarder les gens qui pédalaient sur la piste cyclable. Au loin se profilaient l'imposante silhouette du Château Frontenac, la tour du Parlement et les hôtels de luxe du centre-ville.

Je fis attention de ne pas lui frôler le genou en maniant le levier de vitesses pour virer à droite sur d'Aiguillon. Deux intersections plus loin, nous étions devant le garage de la Tour du Faubourg.

Au moment d'ouvrir la porte avec ma clé, je me retournai pour voir si la Shadow de Bogie se trouvait aux alentours. Elle n'était pas là. Depuis l'intervention de ma sœur, la Police montée me laissait tranquille. Peut-être que l'enquête avait été abandonnée parce que la mystérieuse femme, comme dans mon rêve nocturne, était retournée sur le Vieux Continent.

Après avoir garé la Mini à la place qui m'était réservée, je sortis du coffre les bagages de Limoilou et son sac de livres. Nous montâmes au premier étage. Son petit appartement lui plut tout de suite, et une partie de mes craintes s'envolèrent. Au lieu de déballer ses affaires, elle déclara qu'elle voulait d'abord s'occuper des livres. Alors je pris le sac de plastique, sur lequel on voyait le logo de la librairie Vaugeois, et nous quittâmes l'appartement. Au rez-de-chaussée, je vérifiai discrètement si la clé de l'immeuble se trouvait bien dans ma poche. Nous sortîmes par la porte qui donnait sur la rue Saint-Jean.

Limoilou se mit à hésiter sur la direction à prendre. Pour lui laisser le temps de réfléchir, je jetai un coup d'œil aux livres. Il y en avait quatre. Au bout d'un moment, elle m'entraîna vers la gauche. En face de la pharmacie, elle traversa la rue et je la suivis dans le cimetière de l'ancienne église St. Matthew. Je m'assis sur un banc, les livres à côté de moi, pendant qu'elle déambulait entre les tombes.

Nous étions dans un endroit ambigu. Le cimetière avait été converti en un jardin public où les gens venaient se reposer et même casser la croûte à midi, mais il y avait partout des monuments funéraires, debout ou couchés, sur lesquels on pouvait lire des noms et des dates. Et comment pouvais-je oublier que la mère et la grand-mère irlandaises de Marine avaient été ensevelies derrière l'église, dans le coin le plus retiré?

Il n'était que dix heures du matin. Le soleil avait du mal à percer le feuillage rouillé des grands chênes. Nous n'étions pas seuls dans le cimetière : un groupe de punks, deux gars et une fille, jouaient avec un pit-bull. Ils portaient des vêtements noirs bardés de pièces métalliques. Je craignais que la présence de ces jeunes gens ne rappelle à Limoilou des épisodes douloureux de son passé, mais il n'en fut rien. Elle vint me trouver sans même les regarder. Peut-être que j'avais un côté mère poule.

Après avoir étalé les livres sur mon banc, elle choisit *L'appel de la forêt*, de monsieur Jack London.

Je la vis marcher tout droit vers une statue en bronze qui se trouvait dans une encoignure de l'ancienne église. C'était une sculpture de Lewis Pagé qui s'appelait *La petite liseuse*. Elle représentait une jeune fille assise en tailleur et penchée en avant : toute son attention était concentrée sur un livre qu'elle tenait à deux mains. Curieusement, la forme de ce livre était à peine ébauchée. On aurait dit une boîte. Limoilou plaça le roman de London dans ce réceptacle.

— Ça peut réchauffer le cœur de quelqu'un, dit-elle en revenant vers moi.

Je pensais qu'elle allait dire pourquoi elle avait choisi ce livre, mais elle se dirigea en silence vers l'escalier donnant sur la rue Saint-Joachim. Dans mes souvenirs, Jack London racontait l'histoire d'un chien qui était maltraité par des chercheurs d'or, au Yukon, et qui finissait par retrouver sa liberté : c'est tout ce que je me rappelais.

Limoilou tourna à gauche dans la ruelle des Augustines, puis à droite sur Saint-Patrick. Son petit sourire me disait qu'elle n'allait pas au hasard. Elle s'arrêta devant un terrain pour les jeunes enfants, à l'angle de la rue Scott. On y trouvait des jeux en polyéthylène de toutes les couleurs : des glissades, des échelles, des balançoires.

Elle s'assit au bord du trottoir. Je pris place à ses côtés et, sortant les livres, je les disposai entre nous deux. Sans hésiter, elle choisit *La route d'Altamont*, un recueil de nouvelles de madame Gabrielle Roy.

Cette fois, je demandai :

— C'est à cause de la petite fille dont il est question dans « Le vieillard et l'enfant » ? Celle qui veut voir le lac Winnipeg ?

— Mais oui.

Elle se leva, poussa un portillon de métal noir et entra dans le terrain de jeux. J'avais lu et relu cette nouvelle. L'héroïne avait huit ou dix ans. Elle recherchait la compagnie d'un vieil homme qui était souvent assis sous un arbre à cause de la chaleur. Quand il parlait du lac Winnipeg à la fillette, le vieux disait : «On ne voit pas d'un bord à l'autre.» Un jour, ils prenaient le train tous les deux pour aller voir cette grande étendue d'eau, et le voyage était si bien raconté qu'à la fin, le lac devenait le symbole du bonheur.

Limoilou posa le livre au sommet de la plus haute glissade. Ensuite nous descendîmes la rue Scott, qui était très à pic. Au moment où nous tournions à droite sur Saint-Jean, l'autobus n° 7 surgit en vrombissant et s'arrêta plus loin dans un grincement de freins. D'instinct, Limoilou s'était collée contre moi, la tête rentrée dans les épaules.

— Il va falloir que je me réhabitue aux bruits, dit-elle.

— Tu vas y arriver, dis-je. Ce ne sera pas difficile.

— Merci. C'est très gentil.

Elle se mit à sourire. Sa confiance revenait.

— Je suis contente d'être en ville.

L'appartement que nous lui avions trouvé, Marine et moi, au premier étage de la Tour, n'avait qu'une pièce et demie. Plus tard, nous allions chercher avec elle un logis plus confortable dans le quartier, et sans doute un travail à mi-temps.

— C'est certain que je vais m'ennuyer de Marine, dit-elle.

— Moi aussi, murmurai-je.

— Et je vais m'ennuyer de mon chat.

— On ira les voir quand tu voudras.

Il y avait une lueur dans ses yeux, tout allait bien. Le ciel était bleu foncé, il faisait de plus en plus chaud, alors elle enleva son chandail et le noua autour de sa taille. Ses cicatrices aux poignets étaient moins visibles qu'avant. Elle se remit en marche, et s'arrêta presque tout de suite.

Nous étions devant le magasin Le copiste du faubourg. C'était la papeterie où le vieux Jack se procurait tout ce dont il avait besoin pour écrire. La maison avait un joli toit à lucarnes, d'un bleu pâle qui s'étendait à l'encadrement des vitrines. Celles-ci contenaient des stylos, des plumes, des agrafeuses, ainsi que toutes sortes de cahiers, de carnets, de calepins. Il s'en dégageait une impression d'intimité, presque de solitude. On pensait à quelqu'un en train d'écrire dans un coin de sa chambre.

Il ne restait que deux livres dans mon sac. Limoilou opta pour *Salut Galarneau*, de monsieur Jacques Godbout. J'aimais bien ce roman parce qu'il avait un style. En plus, il semblait avoir été écrit spécialement pour moi : le narrateur s'appelait François, et son frère Jacques, un écrivain, habitait en haut d'une tour.

Limoilou plaça le livre sur la dernière des quatre marches de l'entrée, en position debout, appuyé contre la vitrine de droite. Elle voulait éviter qu'un client ne trébuche en sortant de la papeterie. L'air satisfaite, elle me prit le bras pour retraverser la rue

Saint-Jean au milieu de la circulation. Ensuite elle tourna à gauche sur Sainte-Marie, qui descendait vers la basse-ville. Quelques instants plus tard, sa main se fit plus lourde, son visage se rembrunit. Il n'était pas nécessaire d'être un grand psychologue pour comprendre ce qui se passait : nous entrions dans le secteur où elle avait vécu ses expériences les plus pénibles.

— Est-ce que ça va ? demandai-je.

— Oui, dit-elle. Ne t'inquiète pas.

C'était elle qui me rassurait à présent. J'avais un peu honte, mais je me souvenais trop bien de tout ce que Marine et Jack m'avaient raconté : la tentative de suicide, la sirène d'une ambulance, les visites à l'Hôtel-Dieu, la convalescence.

Je fis un effort pour chasser les vieilles images.

Nous étions au coin de Richelieu.

— On arrive ! dit-elle pour m'encourager.

Elle se dirigea vers un parc de petite dimension qui était adjacent au stationnement du magasin de chaussures Blanchet. Il comprenait en tout et pour tout quelques bancs disposés autour d'une grappe de bouleaux. À sa connaissance, c'était un des rares endroits du quartier où l'on trouvait des arbres. Je lui remis le dernier livre : *Lumière des oiseaux,* de monsieur Pierre Morency. Sur la couverture, on voyait un Grand Héron avec son long bec jaune, son œil fixe et l'aigrette noire qui flottait derrière son cou replié.

Limoilou plaça le livre sur un banc, puis se retourna vers moi.

— Voilà, c'est tout, dit-elle. J'ai fait ce que je voulais faire. Merci d'être venu avec moi.

Se haussant sur la pointe des pieds, elle m'embrassa sur la joue. Ensuite elle prit de nouveau mon bras et déclara qu'elle avait hâte de s'installer dans son appartement. Nous regagnâmes la Tour du Faubourg. J'étais à la fois heureux de voir que tout allait bien, et inquiet parce que je me demandais si j'aurais la patience de m'occuper d'elle. Compter sur Jack n'était guère possible : insatisfait du roman qu'il venait de terminer, il en avait commencé un autre, dont il ne voulait rien dire pour l'instant.

Une chose pourtant me rassurait. Marine, très attachée à Limoilou, allait venir à Québec plus souvent. Je connaissais un petit frère qui avait hâte de la serrer dans ses bras. Il en rêvait le jour et la nuit.

Lorsqu'enfin je rentrai chez moi, après avoir aidé Limoilou à s'installer, je vis qu'il y avait un message sur le répondeur. Ma journée avait été fertile en émotions, alors je me rendis d'abord à la cuisine. En préparant du café, mon imagination partit à la dérive. Était-ce mon frère qui se posait déjà des questions sur son nouveau roman ?... La belle Irlandaise qui demandait des nouvelles ?... Une autre mystérieuse femme qui me proposait un rendez-vous ?

TABLE

LA TRADUCTION EST
UNE HISTOIRE D'AMOUR

L'ANGLAIS N'EST PAS
UNE LANGUE MAGIQUE

CRÉDITS

La traduction est une histoire d'amour

Isabelle Eberhardt, *The Passionate Nomad*, Beacon Press, 1987, traduction de Nina de Voogd.

Rose Masson Dompierre et Marianna O'Gallagher, *Les témoins parlent. Grosse-Isle 1847*, Livres Carraig Books, 1995.

Sylvie Durastanti, *Éloge de la trahison*, Le Passage, 2002.

L'anglais n'est pas une langue magique

Page 149 : Alberto Manguel, *Une Histoire de la lecture*, © Actes Sud, 1998 ; p. 165 : John Steinbeck, *Le poney rouge*, traduit par Marcel Duhamel et Max Morise, © Éditions Gallimard, 1977 ; p. 175 : © Librairie Larousse, 1986 ; p. 183 : Denis Vaugeois, *America*, Les Éditions du Septentrion, 2002 ; p. 184, 205-206, 207, 208, 209-210, 241-242, 244-245, M. Lewis et W. Clark, *La piste de l'Ouest. Journal de la première traversée du continent nord-américain*, traduction de Jean Lambert, © Éditions Phébus, 2000 ; p. 186 : Ernest Hemingway, *A Literary Reference*, Carroll & Graf Publishers, 1999 ; p. 202, Alain Grandbois, « Que la nuit soit parfaite… », *Les îles de la nuit*, Éditions Typo, 1994, © 1994 Éditions Typo et succession Alain Grandbois ; p. 219, 220, 221 : Réjean Ducharme, *L'Avalée des avalés*, © Éditions Gallimard, 1966 ; p. 225 : les paroles interprétées par Édith Piaf, tirées du film « Les amants de demain », réalisé par Marcel Blistène, sont de Michel Rivegauche ; p. 235 : extrait de « Qu'est-ce qu'on a fait de nos rêves ? », chanson de Sylvain Lelièvre ; p. 246, extrait de « Francis », chanson écrite et interprétée par Félix Leclerc ; p. 247 : Jim Harrison, *La route du retour*, traduction de Brice Matthieussent, © Christian Bourgois Éditeur, 1998 ; p. 262 : Gabrielle Roy, *La Route d'Altamont*, HMH, 1966.

Achevé d'imprimer en février 2019
sur les presses de
Marquis imprimeur

Éd. 01 / Imp. 01
Dépôt légal : février 2019